ANNALISA MENIN
SUSANNA DE CIECHI

IL MIO ULTIMO ANNO A NEW YORK

ISBN: 979-12-200-2227-9

Editing: Nicoletta Molinari
Impaginazione: Serena Zonca
Grafica di copertina: Virginia Cedrini

Nota

Questo è un romanzo e, in quanto tale, l'idea attorno a cui ruota prende spunto da alcuni fatti realmente accaduti che sono stati tuttavia trasfigurati e romanzati. Pertanto, i personaggi, le loro caratteristiche e le vicende che li coinvolgono sono unicamente frutto della creatività degli autori e ogni riferimento a nomi, persone, luoghi, situazioni eventualmente esistenti è puramente casuale.

A Marco
– La Tua Principessa

*La mia vita si fa nel narrarla
e la mia memoria si fissa con la scrittura;
ciò che non riverso in parole sulla carta
lo cancella il tempo.*
– Isabelle Allende

*Chissà se un giorno,
guardando negli occhi di chi ti avrà dopo di me
cercherai qualcosa che mi appartiene.*
– Pablo Neruda

Indice

1
SOLSTIZIO A MANHATTAN

New York, 29 maggio 2016.
«Via, via, via!» sibilo tra i denti mentre faccio lo slalom tra la folla, costeggiando Bryant Park sulla Sesta Avenue, in direzione Uptown. Vado di fretta per raggiungere l'angolo con la Quarantaduesima strada e mi fermo davanti a Starbucks. La via è ingombra di veicoli di ogni misura, a due, a quattro e perfino a sei ruote. È una fiumana che rotola avanti disordinata, verso nord. I clacson e le grida si sovrappongono al rumore di fondo, un frappè di motori e di frenate, di musica, di portiere sbattute, di passi calibrati su diverse intensità e toni. Il primo giorno d'estate si avvia al tramonto incartato in una cortina di smog. Tutti, tranne i turisti ignari, sono in attesa della meraviglia per cui si sono precipitati per strada.

«Ci vorrebbe un po' di vento» dice una biondina in jeans e maglietta, ferma accanto a me. Davanti a lei, in piedi, c'è un bambino appoggiato di schiena al suo ventre; la donna incrocia le braccia sul petto del ragazzino, di forse setto o otto anni. Come l'avesse chiamata, si solleva una brezza più calda che tiepida, muove il velo compatto di polvere che staziona nell'aria.

«Mamma, il vento!» Il bambino rovescia la testa all'indietro e infila gli occhi in quelli di sua madre. I loro sorrisi sono identici, le bocche hanno lo stesso taglio, uguale la parata dei denti spaziati e anche l'arricciatura all'incavo del naso è la medesima. Lui ride e torna a guardare verso il fondo del viale, lei lo stringe più forte e dondola di lato portando il figlio dentro il suo ballo.

Le folate sono vigorose e continue, il traffico è meno intenso, la gente per strada rallenta il passo, molti si fermano: New York sta per alzare il sipario sul Manhattanhenge, il momento in cui il punto di tramonto del sole è parallelo alla Quarantaduesima e si slarga a ventaglio su molte strade di Manhattan. Migliaia di persone sono ipnotizzate dalla visione della sfera che cala sulla linea dell'orizzonte. Un incendio di luce, uno spettacolo che New York concede solo due volte l'anno, in estate.

La biondina di prima si china a baciare i capelli del suo bambino. Non riesco a fare a meno di spiarli mentre passo la mano sulla mia pancia piatta. Mi accarezzo per confermare l'assenza di una promessa. "Non c'è niente lì dentro" penso. "È tutto buio. Un bambino avrebbe paura". Intorno la gente contempla il riverbero sbrilluccicante. La donna accanto a me tende il braccio e punta il dito, da qui scocca lo sguardo il suo bambino, verso la luce. Mi sembra che tutti siano in compagnia di qualcuno.

Anch'io voglio un figlio, da Marco. Lo voglio per me, anche se so che lui non è d'accordo. Ne abbiamo discusso per anni. I piatti della bilancia sui pro e i contro hanno oscillato un po' di qua e un po' di là, senza mai trovare un punto di equilibrio. Il bambino, il nostro bambino, sarebbe potuto arrivare per caso, ma ha deciso di darci tempo.

Il tempo non è infinito. Come la luce.

L'ombra cala su Manhattan nello spazio di un respiro, nel modo in cui avviene ai tropici.

«Andiamo, tesoro.» La biondina intreccia le dita con quelle del figlio, mi fa un cenno di saluto e sparisce nella folla che ha ripreso a fluire.

È appena terminato un gigantesco flash mob, tutto ora torna in movimento. Solo io resto congelata su quest'angolo di strada, persa nel desiderio disperato di tornare indietro fino al punto in cui Marco mi vedeva mamma. Cammino lungo il bordo del marciapiede, un piede avanti all'altro senza uscire dal margine del cordolo. Un gioco, un fioretto. Una volta, se fossi riuscita a rimanere in bilico su quest'asse di equilibrio immaginaria, mi sarei premiata con alcune caramelle o un gelato.

Oggi che premio mi voglio concedere?

Forse, adesso quel figlio lo potrei anche fare.

Ora che Marco non lo vuole più.

Era stato lui il primo a tirare fuori l'idea. Era successo qualche mese dopo che ci eravamo sposati, alla fine del 2010.

«Senti, Principessa, lo mettiamo in cantiere un piccolino?» Se ne era uscito così, una giornata qualunque mentre stavamo facendo colazione. Marco era seduto sbilenco sullo sgabello rosso della cucina e stava ripulendo il vasetto di Nutella con un dito. Io avevo continuato a sorseggiare il mio tè.

«Quanta voglia hai di fare la mamma?» Non avrebbe mollato, lo avevo capito dagli occhi strizzati, contornati da rughette che definivano il suo sguardo responsabile.

«Sì. Ci possiamo pensare.» Mi ero messa sulla difensiva, avevo solo ventisette anni, sorridevo compiacente. Lasciavo scorrere i minuti tra le sue parole, i miei pensieri, le mie risposte e nuovi discorsi: quello che avrei voluto dire e quello che invece avrei detto.

«Già mi immagino noi tre, impegnati a fare colazione intorno a questo bancone. Altro che la famiglia del Mulino Bianco! Lui sul seggiolone che sputacchia sul bavaglino...»

«Bella roba! Come conti di educarlo, tuo figlio?»

«Allora siamo d'accordo: maschio. Il primo sarà maschio. Brava, Anna!»

«Invece, speriamo che sia femmina.» Stavo allo scherzo, per niente convinta. Anch'io, come Marco, sognavo di comporre una famiglia senza aspettare di essere troppo in là con gli anni; l'immagine era quella della pubblicità, con lui, lei e due bambini, che sembrava non costassero alcuna fatica. Andava bene finché restava una fantasia. Nella realtà, un figlio non lo volevo. Non ancora. Mi mancava la spinta, il desiderio vero. Avevo tempo e, nel mio presente, c'erano un marito che amavo e mi amava, una bella vita con dentro tutto quello che desideravo.

Marco si era alzato e mi aveva stampato un bacio sulla fronte. «Per fortuna abbiamo una casa abbastanza grande, con la camera in più.» In quella stanza e anche in soggiorno ospitavamo gli amici che ci venivano a trovare dall'Italia. Marco aveva girato lo sguardo intorno, compiaciuto, poi aveva proseguito la sua tirata mentre io sparecchiavo. Ridevo da sola in cucina mentre lui continuava a sproloquiare dal bagno, perfino mentre si lavava i denti.

Era quasi tardi, per l'ufficio. Avevamo infilato il cappotto e qualche minuto dopo trottavamo in strada, diretti alla metro. Piovigginava, era una giornata grigia. Adesso avvertivo un disagio, il buonumore di Marco non mi aveva contagiato fino in fondo, come accadeva quasi ogni giorno. Sentivo una frizione, un fastidio, per l'idea che a me restasse solo una scelta condizionata dal mio essere donna e moglie. Ricordo che mi ero voltata a guardarlo: sorrideva alla pioggia. Proprio quel sorriso, che lui mi regalava ogni giorno appena si svegliava, era uno dei motivi per cui mi ero innamorata.

«Allora, Anna, ci proviamo?» Aveva ricominciato. Stava esagerando. Eppure, di solito Marco affrontava qualsiasi problema con misura.

«Proviamo cosa?» avevo risposto, irritata. Nel vagone stipato io ero seduta, lui stava in piedi di fronte a me. Tra un minuto saremmo arrivati alla fermata di Bryant Park, la sua, io avrei proseguito ancora per un tratto.

«Il bambino. Il nostro bambino» aveva sbuffato.

«Guarda che sei arrivato.» Lo colpii con un pugno leggero all'altezza della pancia. Ero scocciata perché non aveva percepito la mia reazione e anche perché, per una volta, i nostri desideri non coincidevano. Avevo scoperto qualcosa al di fuori di quella perfezione che era il nostro amore e lo avvertivo come una minaccia.

Intanto Marco si era allontanato e stava raggiungendo la banchina: «Ciao!», quasi gridava per attirare il mio sguardo. Avevo ricambiato con un cenno senza calore. Nella manciata di secondi prima della ripartenza, Marco era arrivato quasi a metà della scala che conduce all'uscita; da quel punto mi vedeva di scorcio, dall'alto, e ogni giorno mi salutava con un sorriso. Io rispondevo allo stesso modo. Due segni d'intesa che si incastravano come un puzzle fino a che i nostri occhi restavano in contatto. Un nostro rito segreto. Un gesto che ci accompagnava fino a sera.

Quel giorno, per la prima volta non gli avevo risposto. Avevo finto di controllare l'orologio.

Sapevo essere indipendente sotto ogni aspetto, all'occorrenza. Questo mi ero raccontata.

Era passata qualche settimana e non era più tornato sul discorso. Non c'era stato il modo perché avevamo avuto un ospite italiano. Casa nostra era un porto di mare, aperta a tutti gli amici che venivano a trovarci e perfino agli sconosciuti, amici di amici, che arrivavano a New York in cerca di lavoro. Nel divano-letto Ikea hanno dormito in tanti. Io e Marco conoscevamo bene le difficoltà che si incontrano quando si emigra in cerca di lavoro; l'accoglienza era un modo di soddisfare il nostro desiderio di rendere la fortuna che avevamo avuto.

Quella volta c'era Gabriele, veniva da Roma e voleva fare il regista: «La mia ragazza è rimasta incinta». Era il momento delle confessioni, il giorno dopo sarebbe partito per la California e forse non ci saremmo mai più incontrati.

«Complimenti! E quando vi sposate?» La domanda, indiscreta, l'avevo fatta io mentre servivo il caffè; quella sera avevo cucinato all'italiana in onore dell'amico che ci lasciava.

«Gliel'ho chiesto.» Gabriele guardava a terra, impacciato, mentre con una mano si stirava la barba. «Non solo lei mi ha risposto picche, mi ha anche detto che non avrebbe tenuto il bambino. Non lo voleva.» Era seguito un momento di tensione in cui ciascuno di noi si era dedicato a mescolare lo zucchero nel liquido bollente. Marco teneva gli occhi strizzati e in apparenza sembrava impassibile, invece era schifato; lo conoscevo troppo bene per non saperlo. Io ero stupita, non capivo. «Perché? Se vi volete bene...»

«Una stronza, un'egoista. Prima di tutto c'è lei, la sua libertà. Come ha detto? "Voglio pensare alla mia carriera, come fai tu". Capite? Preferisce fare l'attrice di teatro!» Gabriele fissava ora Marco ora me, rigirando tra le mani il pacchetto di sigarette che in casa non gli era permesso fumare.

«Com'è che vi siete trovati in questa situazione?» Marco era pragmatico anche quando c'era di mezzo l'amore.

«Gli sarà capitato. Queste cose succedono» avevo risposto io, d'istinto. Una difesa d'ufficio che nessuno mi aveva richiesto.

«Proprio così. Una notte di primavera, dopo una serata con gli amici, abbiamo chiuso in bellezza e, per una volta, non siamo stati attenti. Una volta basta per sempre. Già prima le avevo chiesto di sposarmi.»

«E lei si è tirata indietro.» Marco esaminava ogni aspetto della storia, attentissimo, lo sguardo puntato con invadenza contro il nostro amico.

«Veramente non ha mai detto di sì.» Gabriele si era alzato per andare alla finestra. Le luci nei palazzi intorno lasciavano intravedere scorci di vita domestica in cui erano compresi donne e bambini. A ben guardare saltava all'occhio che le donne fossero quasi tutte indaffarate, loro.

«Se non era convinta, ha fatto bene a scegliere in modo onesto.» Avevo ripreso il vassoio con le tazze del caffè, ora vuote. Anch'io adesso ero tra le indaffarate, facevo parte del panorama per chi avesse guardato dalla propria finestra.

«Ha abortito il mio bambino.» Gabriele era sull'orlo del pianto, il mento tremava. Li avevo lasciati soli, lui e Marco. Che se la sbrigassero tra uomini. Io non riuscivo a decidermi su quella sconosciuta che aveva compiuto un gesto che non condividevo. Eppure non mi sembrava giusto condannarla senz'appello. Doveva avere le sue ragioni e poi chissà come se la passava in Italia una ragazza madre.

Ero andata in bagno. Il segno: le mestruazioni erano arrivate. Ero giovane, innamorata, con un lavoro, amici, una casa, vivevo a New York, viaggiavo e… nessun intralcio. I bambini andavano bene quando arrivavano al momento giusto. Noi li avremmo avuti al momento opportuno.

Una cosa alla volta.

Volevo scegliere, potevo scegliere. La mia vita spettava solo a me, lo sentivo. Attraverso la porta udivo la voce di Marco, forse stava cercando di consolare Gabriele, magari pontificava un po'. Certe volte mi sembrava che fosse troppo sicuro, che volesse decidere anche per me; mi metteva alla prova mostrandomi la strada, poi stava a vedere dove svoltavo. Questa storia del bambino, per esempio. Lui avrebbe ripreso a spingere mentre io tiravo il freno. Anche a me l'idea piaceva, ma volevo rimandare. Mi sembrava una bella cosa e allo stesso tempo una grande fregatura. Sarebbe stata una partita da giocare tra Marco e me. Oppure solo tra me e me. Non ci sarebbe stato alcun vincitore, o forse avremmo vinto tutti. Alla fine, anche l'idea di potere scegliere era un imbroglio, o meglio, un'illusione.

Mia madre non aveva mai saputo che ci fosse un'altra possibilità. Ai suoi tempi ci si sposava per fare figli, si lavorava per vivere, si fingeva di essere contenti della vita che si faceva. Se capitava che qualcuna fosse felice per davvero, quella era una grazia, soprattutto dalle mie parti.

Anche Cristina, la madre di Marco, aveva avuto la stessa sorte. Bastava osservarla in quella foto che a lui era così cara: occhi tristissimi in cui si specchiavano pigne di panni da lavare, compiti da controllare, giornate sempre uguali in cui arrivava a sera morta di stanchezza, senza neppure la voglia di sognare. Una voragine di melanconia.

Un'altra epoca. Per me sarebbe stato diverso.

I figli a suo tempo.

Quale? Ora che Marco non voleva più.

2
IL MIO MESTIERE È LA VITA

Quando ero piccola mia madre mi portava al cimitero ogni sabato pomeriggio, salvo che non facesse troppo freddo o diluviasse. In quei casi mi diceva: «Oggi no. La nonna dice di non andare, tanto è in compagnia delle sue amiche». Così rimanevo a casa a colorare l'album da disegno, a incollare le figurine, a rompere le scatole a mio fratello perché giocasse con me. In prima elementare, a Natale avevo già imparato a leggere e a scrivere. La volta che ero tornata al camposanto, avevo letto la frase che incorniciava la sommità dell'ingresso: "Noi eravamo come voi, voi sarete come noi". Ero convinta che la scritta appartenesse al cimitero del mio paese, in seguito l'avevo scoperta in altri luoghi di sepoltura, anche molto lontani da lì. Ogni volta che notavo l'iscrizione, mi sentivo inquieta. Sembrava che in quei posti esistessero solo il passato e il futuro; il passaggio del testimone tra la vita che era stata e la morte, non lasciava spazio al presente, mai raccontato, considerato solo il presagio di una catastrofe che si collocava in un tempo impreciso, indefinito nel suo divenire. Eppure, io stavo nel presente ogni volta che mi trovavo davanti alla frase incisa su un portale che magari mi sorprendeva alla svolta di una strada di campagna o nella periferia di una città in cui ero capitata per caso.

Anche adesso mi sento così: in divenire.

Non so se tentare di mettere in pancia questo bambino. Insieme potremmo costruire il futuro. Un futuro solo con lui.

«Chiedi a Marco. Cosa ne dice Marco? Ma a Marco sta bene? Ha ragione lui, Marco! Sei una macaca!» Mi rimbombano in testa le parole di mia madre, lei che ha fatto da mamma anche a Marco e tra me e lui sceglieva sempre di dare ragione a lui, il maschio, il marito, il genero, comunque un *padrone*. Ogni tanto glielo rinfacciavo ridendo, lei mi guardava seria e diceva: «Va là, putea. Devi dare retta al tuo uomo. Gheto capio?».

Quando Marco era entrato in famiglia io ero passata in seconda linea. Avevo scoperto che, ancora oggi e a dispetto di tante belle parole, dalle mie parti i ruoli della figlia e della moglie sono subalterni alle posizioni del figlio maschio e del genero.

Eppure avevo alle spalle più vita ed esperienza io di quanta ne avessero i miei genitori. Nata e cresciuta a Camponogara, avevo studiato in piccole scuole di periferia, sognavo di andare in giro per il mondo e ci ero riuscita già al liceo, poi c'erano stati l'Erasmus in Germania, l'università a Venezia, tanti viaggi in molti Paesi. Mi ero messa in gioco, con le mie sole forze, e avevo trovato la mia fortuna a New York. Non solo, avevo ottenuto la cittadinanza.

Sono una veneta, anzi, per dirla con Marco, una veneziana che ha conquistato New York.

Il Veneto è un mondo a sé, pieno di suoni dolci e modulati, fatto di tanta pianura, poche colline e qualche montagna. Io ho mantenuto la tradizione dei miei conterranei, i veneziani sono sempre stati grandi viaggiatori, abili negli affari, curiosi del mondo.

Già da piccola fiutavo il vento che portava l'odore del mare. Mi piaceva immaginare fin dove sarebbe arrivato rotolando e fischiando aderente la curva della terra, mentre si mischiava ad altri odori, ambasciatori di terre da esplorare. Ero orgogliosa delle mie origini, ma sapevo che un giorno avrei lasciato indietro tutto e sarei andata lontano. Sarei partita, sola, e avrei fatto le mie scoperte. La fatica e i sacrifici non mi hanno mai spaventato e ora guadagno abbastanza da potermi permettere dei piccoli lussi; per usare un'espressione cara a Marco, contribuisco a *fare girare l'economia* molto più di tanti uomini.

Sono una newyorkese, ormai, o magari lo sono nella stessa misura in cui sono rimasta una veneziana.

Mia madre non lo capisce, per lei è difficile accettare di avere una figlia così indipendente. Quando ci troviamo su Skype c'è sempre un carico d'ansia nella sua voce: «Come stai, lì da sola?». La stessa domanda che ogni volta non riesce a trattenere e che sottintende il suo desiderio di vedermi tornare in Italia.

«Bene, mamma. Me la cavo, stai tranquilla.» In realtà ci sto provando, a stare sola. Quando esco per una passeggiata non sono più sicura dei posti in cui mi conviene andare. New York è piena di luoghi miei e di Marco e io continuo a tornarci, anche se mi fa male.

Forse sarebbe diverso se vivessi la mia nuova vita con nostro figlio?

Come sarebbe la vita con un bambino? Complicata. Qui non fanno sconti, ma se ti sai organizzare puoi farcela. Io sono la donna delle liste, cerco di valutare le priorità, di stilare elenchi in cui impegni importanti e commissioni di poco conto si incastrano alla perfezione. Ce la posso fare anche con un bambino.

Se c'è un problema, basta trovare la soluzione. Questo me lo ha insegnato Marco. È un metodo che funziona, quasi sempre.

Da qualche parte ho letto che all'inizio è difficile abituarsi alla solitudine, poi stare soli può diventare un vizio. Allontanarsi dalla vita, escludersi dai contatti sociali, coltivare riti e abitudini privati e costruirsi un mondo a parte in una bolla dove nessuno possa penetrare. Non ho ancora capito in che direzione mi sto muovendo dentro la mia solitudine. I miei piedi mi portano sempre nei posti in cui spero di incontrare Marco: la nostra panchina a Bryant Park, il nostro tavolo preferito da Max SoHa, oppure quello nella sala al primo piano del Met dove, a seconda dell'ora, la luce gioca con le vetrate di Tiffany.

Cammino in avanti per tornare indietro. Non raggiungo mai la meta. Il mio punto di arrivo, e di ripartenza, potrebbe essere il bambino.

Chissà se, nella mia situazione, con un bambino si è soli in due? Una dolce emarginazione, quella di mamma e figlio. Sarebbe così?

Vorrei chiedere a Marco.

Devo fare pulizia di tutto quello che ho in testa. Mettere ordine, fare una lista. Scartare e buttare il ciarpame, le idee sbagliate, le cose che gli altri mi spingono a fare, la routine che non mi appartiene più.

Dare aria ai pensieri, questo mi serve.

Se adesso Marco fosse accanto a me, mi direbbe: «Sì, fai così. Molla tutto e riparti. Ricomincia!».

Giro l'angolo e mi scontro con l'abbaiare festoso di Yepa, il bassotto che ogni tanto incontro nei pressi di casa. La sua padrona mi sorride, tira il guinzaglio e lo richiama. Il bau bau mi ha dato la sveglia. Mi accorgo di essere nella mia strada e non so come ci sono arrivata. Ormai mi capita spesso di inserire il pilota automatico e andare dove mi portano le gambe.

Così non va bene. Perdo pezzi di vita, minuti, ore, mezze giornate, ed è uno spreco.

«Devi sempre essere consapevole di quello che fai. Tutt'al più togli il superfluo, lascia andare le cose inutili, ma a tutto il resto presta attenzione». La voce di Marco risuona nella mia testa, ha ragione. In questo modo la vita ha più sapore, come il bacio del mattino dato di corsa perché la sveglia non è suonata.

Ogni tanto capitava. Avevo fretta, ma notavo lo stesso il sapore appena salato della sua pelle, l'odore caldo della notte, le lenzuola stropicciate dall'amore. Mi infilavo sotto la doccia e subito partiva il mio urlo per il primo scroscio di acqua gelata, un'abitudine che lui, da freddoloso, non aveva mai condiviso. Ah, Marco, che di giorno vestiva in modo impeccabile e nell'intimità di casa sbracava in mise ridicole, soprattutto durante la stagione fredda. Non ero mai riuscita a fargli cambiare abitudini.

«Fa parte dell'eredità di mia mamma» diceva mentre si infilava i pantaloni del pigiama pesante, tirandoli su, fin quasi sotto le ascelle. «Quando ero piccolo, Cristina mi faceva indossare una calzamaglia di lana ruvidissima, però teneva caldo.» Nel frattempo trafficava con dei calzettoni spessi in cui ficcava le gambe dei calzoni. Io ridevo mentre continuava a spiegarmi, serio, che la calzamaglia di allora era una specie di armatura scomodissima; gli irritava la pelle, ma aveva il pregio di farlo sentire al sicuro.

«Ti scaldo io, mio principe» dicevo.

«Come fai? Sei troppo magra e anche fredda. Tu dormi nuda! Intendiamoci, non che mi spiaccia...» E mentre mi osservava spogliarmi, infilava la maglia dentro le braghe. Sembrava chiuso in un bozzolo impenetrabile, poi ogni sera, dopo qualche minuto di silenzio si girava verso di me e allungava la mano sopra il lenzuolo muovendo l'indice e il medio per imitare l'andatura di due gambe. Mi prendeva la mano, la carezzava, la stringeva. Io fingevo di dormire.

«Anna?» sussurrava, poi insisteva: «Anna! Com'è andata oggi?» Allora cedevo e cominciavo a raccontare anche le stupidaggini, le battute scambiate sul lavoro, e lo stesso faceva lui. Spesso nei nostri discorsi entravano i progetti per il futuro: la carriera e anche i viaggi, vacanze speciali destinate a noi due soli oppure da organizzare con qualche amico italiano. E poi... più tardi finiva sempre con un ultimo bacio: «Buonanotte, Principessa» mi diceva.

Spingo il portone del palazzo dove abito. Dalla cassetta della posta sporge un pacchettino rettangolare. Che bello! So cosa contiene, lo aspettavo.

Da quando vivo sola mi capita di avere desideri che non possono attendere di essere esauditi. A volte si tratta di piccole cose di nessun valore, se non per me, e vivo in ansia finché non arrivo a possedere quel che mi interessa, diventa un assillo su cui mi concentro senza concedermi distrazioni. Un modo per dimenticare che Marco non è più con me.

Le porte dell'ascensore non si sono ancora richiuse alle mie spalle e già rompo il cartone leggero, tasto la copertina rosso scuro dell'edizione italiana de *La casa degli spiriti*, con la punta delle dita percorro i contorni del balcone disegnato al centro. Entro nel mio appartamento, desolato e buio, e ho l'impressione che una vena d'aria attraversi il soggiorno.

L'Allende, il Cile! In piedi, con ancora la borsa a tracolla, apro il libro e leggo una frase: "Così come quando si viene al mondo, morendo abbiamo paura dell'ignoto. Ma la paura è qualcosa d'interiore che non ha nulla a che vedere con la realtà. Morire è come nascere: solo un cambiamento".

Vorrei piangere, ma tengo duro. Marco diceva: «Orienta i tuoi pensieri su qualcosa che ti piace».

Prendo un frutto dal cesto sul tavolo, una bellissima mela rossa, e rivedo il deserto di Atacama; vorrei essere lì, nella Valle della luna. Morsico la mela: non ha sapore mentre ne aveva tanto la mia voglia di viaggiare. Già a sedici anni avevo convinto i miei genitori a lasciarmi andare in Cile per uno stage promosso dalla scuola. A quell'epoca ero innamorata di Neruda e della Allende. Avevo appena letto *La casa degli spiriti* e avevo anche visto il film con Meryl Streep e Banderas. Mi era rimasta in testa una frase, *il mio mestiere è la vita*, per me era diventato un mantra. Da lì era cominciato il mio viaggio, il Cile sarebbe stato la mia prima destinazione. Ero rimasta in Sudamerica sei mesi, un tempo sufficiente a cambiarmi dentro e fuori. Ero tornata a casa con i capelli tinti di biondo, dieci chili in più per i troppi dolci mangiati e la stranezza, per allora, di un piccolo tatuaggio, una farfalla posata in un luogo che mia madre aveva definito imbarazzante. Avevo anche fatta mia l'idea, più che la sostanza, della prima cotta con un ragazzo di lì, Rodrigo. Raccontare questa storia a Marco mi aveva condannata a una perenne presa in giro. Il nome Rodrigo, gli ispirava ogni sorta di battute, era diventato un tormentone e di solito ci ridevo sopra, quando ero di cattivo umore mi irritavo. Chissà che aspetto potrebbe avere adesso, quel ragazzo? Ora io ho trentatré anni, lui trentaquattro.

Marco trentasei, nel caso.

Comunque avevo preso una gran scuffia per Rodrigo e una volta tornata a casa avevo cominciato a scrivergli, ma ben presto lui aveva smesso di rispondere alle mie e-mail. La mazzata finale era arrivata da una delle mie amiche cilene:

Rodrigo filava con un'altra. Non importava e non contava neppure che non si fosse fatto più vivo. Ero certa che, se ci fossimo riuniti, tutto sarebbe tornato come prima e non facevo che pensare a quando sarei potuta ripartire. Dovevo preparare il terreno alla inevitabile opposizione dei miei genitori. Un argomento a mio favore sarebbe stata la disponibilità di almeno una parte del capitale necessario per il viaggio. Finito l'anno scolastico, avevo cercato un lavoro per l'estate; l'occasione giusta mi aveva aperto le porte di un hotel tre stelle di Venezia che cercava qualcuno part-time come concierge. Davanti al mio bancone arrivavano persone da tutto il mondo; verificavo le prenotazioni, raccomandavo ai clienti i ristoranti migliori, suggerivo loro alcuni percorsi inusuali nei luoghi più suggestivi e meno conosciuti della città.

Pesco dal frigorifero un pezzo di parmigiano e la bottiglia di prosecco già aperta. Prendo un piatto, un bicchiere, un coltello a mandorla per il formaggio, metto tutto su un vassoio. Aggiungo un pacco di grissini, di quelli grossi e il tovagliolo, anzi due: non voglio sporcare il libro cui tengo tanto. Mi sistemo sul divano, bevo un sorso, mangio. Il libro è accanto a me, sorrido alla copertina e mi godo l'attesa del momento in cui potrò sprofondarmi nella rilettura. Lì dentro ci sono le parole che, tanti anni fa, mi hanno messo sulla strada che mi ha portato qui. Da Marco.

3

PRENDI LA RINCORSA

L'hotel in cui sgobbavo a Venezia sarebbe stato la mia porta d'accesso al mondo. Per conquistarmi il diritto a viaggiare mettevo tutta me stessa nel lavoro. Elargivo sorrisi e consigli ai turisti mentre annusavo l'odore sbiadito dei posti da cui provenivano e in cui sognavo di andare anch'io, un giorno. Con gli stranieri avevo l'occasione di perfezionare il mio inglese, il tedesco, di rinfrescare lo spagnolo che avevo imparato così bene. Andavo al lavoro in treno e, se non incontravo nessuno con cui scambiare due parole, mi esercitavo a pensare in una delle lingue che conoscevo.

Volevo essere pronta per ripartire.

Ogni tanto ero di turno anche nei festivi. Quella domenica di settembre stavo tornando da Venezia e il treno sfrecciava sotto uno strato di nuvoloni grigi i cui bordi sfumavano nel titanio. Di solito percorrevo il tratto dalla stazione a casa in bicicletta, ma quel giorno c'era mio padre ad aspettarmi. Mi aveva telefonato a metà mattina per avvisarmi: il cielo minacciava qualcosa di più di uno scroscio di pioggia, senza contare che con l'auto saremmo arrivati a casa in una decina di minuti. Avremmo pranzato tutti insieme e in orario, per una volta.

«Com'è andata, bambina?» Papà si era allungato attraverso il sedile per aprirmi la portiera. «Dov'è la bici, che la carichiamo?» Il profumo dell'arbre magique al pino silvestre era sovrastato da quello della lacca Malizia che lui usava senza alcuna parsimonia, tanto che la sua capigliatura era addirittura incartonata.

«Vado a prenderla. È legata là.» Indicai il palo in corrispondenza della pasticceria, sul lato opposto del marciapiede.

«Prendiamo un dolcino?»

Lui mi aveva guardato di traverso risvegliando il mio senso di colpa per i chili che avevo preso durante il mio soggiorno in Cile, non ancora del tutto smaltiti. I miei familiari erano impegnati a far sì che mi rimettessi in linea con una dieta che per me era comunque troppo rigida.

«Ci ha già pensato la mamma.» Aggiunse qualche parola che svaporò mentre si muoveva per uscire dall'auto.

«Solo frutta per me?» Sorrisi e mentre chiudevo la portiera vidi che stava per attraversare.

«Lascia, papà! Vado io, c'è il lucchetto. Tu apri il baule.» Mentre liberavo la bici, con la coda dell'occhio passavo in rassegna le torte in vetrina e respiravo a pieni polmoni l'irresistibile profumo dei dolci.

«Che ci fai qui?» Bea, la mia migliore amica dai tempi della scuola era appena uscita dal negozio con un vassoio di paste in bilico sul palmo della mano.

«Tu, che ci fai! Io sto andando a casa.» Feci un cenno con la testa in direzione di mio padre, sull'altro lato della strada.

«Sono a pranzo da mia sorella» rispose lei, facendo dondolare il vassoio. «Quei pantaloni sono nuovi? Li hai presi di una taglia meno della tua.» Fece una ghignata astiosa.

«Non sono nuovi. Sono di prima che andassi in Cile.» Afferrai il manubrio della bici con tutte e due le mani. Le nocche diventarono bianche da tanto stringevo.

Bea esibì una smorfia di compatimento; era sempre stata così tra noi, anche a scuola. Lei vinceva sempre. «Ah! Pantaloni di quando eri magraaa...» Adesso mi canzonava apertamente. «Vedrai che prima o poi perderai qualche chilo, così troverai il moroso e poi rimarrai incinta e ingrasserai e non dimagrirai più, tra un figlio e l'altro.» «No. Io girerò il mondo. Non mi voglio accontentare» risposi senza guardarla. Da quando ero tornata ero meno condiscendente con Bea. Non ero più la ragazzina che le dava sempre retta. Ero volata via e avevo già visto un pezzo di mondo mentre lei al massimo era arrivata a Venezia.

«Bea, vuoi un passaggio?» Mio padre indicava i nuvoloni che correvano veloci nel cielo. «Dove devi andare? Non hai neppure l'ombrello» gridò per farsi sentire da dove si trovava.

«Grazie. Non importa. Mia sorella abita in fondo alla via.» Lei sorrise e notai l'incisivo scheggiato, risultato di una brutta caduta dal motorino avvenuta un anno prima. Per Bea era un cruccio, doveva rimettere a posto la parata, ma aveva il terrore del dentista.

«Beh, non ti sei ancora decisa a sistemare il dente? Cosa ci vuole? Vabbè, abbiamo tutte qualche difetto.» Il mio attacco andò a vuoto, lei non smontò il sorriso. Era un osso duro e aveva perfino rinforzato la corazza da quando era stata mollata dal suo ragazzo. Quello che pensava avrebbe sposato. Era diventata una giovanissima zitella, invidiosa di tutte le amiche che ancora non erano state deluse dalla vita. Soprattutto trattava male quelle come me, che avevano dei progetti e qualche possibilità in più di incontrare un futuro diverso. Avrei dovuto smettere di considerarla la mia amica del cuore; capivo che desiderava solo comandarmi a bacchetta e in fondo era gelosa dei miei viaggi, della facilità con cui imparavo le lingue. Ogni giorno il solco tra noi due diventava più profondo, ma le volevo bene ed era per questo che sopportavo le sue sgarberie.

Vedendola lì, davanti a me con la bocca disegnata da un ghigno incerto e il dente rotto, provai un moto di affetto. «Ciao, Bea!» Lei non si aspettava il mio abbraccio e per poco il vassoio di paste non finì a terra. «Passa una buona domenica e salutami tua sorella.» «Sì, grazie. Anche tu saluta tua mamma.» Afferrò il pacchetto con tutte e due le mani, poi gridò: «Arrivederci, signor Venier! Buona domenica.» Lui rispose con un cenno della testa. "Pace conclusa" pensai. "Almeno fino alla prossima baruffa." Voltai le spalle a Bea e riattraversai la strada portando la bicicletta a mano, felice di rientrare nell'aria sporca della stazione, fuori dalle tentazioni. Se papà non fosse venuto a prendermi, mi sarei fatta una sfoglia ripiena di crema come aperitivo.

«Era ora che ti muovessi. Sempre a ciacolare con la Bea e poi scommetto che stasera starete ancora al telefono almeno tre ore» brontolava mentre faceva spazio nel baule. Lo aiutai afferrando una ruota; alla fine riuscimmo a infilare telaio e manubrio e chiudemmo il portellone.

«Guarda che mani sporche!» Cercavo nella borsa qualcosa per pulirmi mentre papà si rimetteva al posto di guida.

«Ho una fame» dissi, mentre mi sistemavo sul sedile.

«Allora, 'ndemo» Il ticchettio della freccia aveva segnalato la manovra di uscita dal parcheggio. «Adesso siamo in ritardo. Il risotto con radicchio e salsiccia ci aspetta. Tuo fratello sarà già lì con la forchetta in mano.»

«Ah, il risotto! Ne darete un cucchiaio anche a me? Dai, papo, arriviamo in fretta.» Lui aveva dato gas all'Alfa Romeo; in un attimo eravamo sotto il semaforo giallo. Un altro colpo all'acceleratore ed eccoci in mezzo all'incrocio nello stesso momento in cui un camion tirava la marcia per attraversarlo. Aveva avuto il via dal semaforo verde.

La botta era stata fortissima e la nostra auto aveva preso a ruotare come una trottola. L'autocarro aveva centrato il lato del passeggero e mio padre, seppure ferito, se l'era cavata meglio di me. Dopo il ricovero ero rimasta in coma per una ventina di giorni. Mi ero fratturata entrambe le anche, il femore destro, il malleolo sinistro e avevo riportato anche alcune lesioni interne. Per rimettermi in piedi avrei dovuto superare più operazioni e ci sarebbe voluto quasi un anno per potere camminare di nuovo.

«Ciao, Anna. Tranquilla, è tutto a posto.» Al mio risveglio in ospedale inquadrai un uomo con la barba e il camice bianco. «Hai avuto un incidente quando eri in macchina con il tuo papà. Lui sta bene.» Mentre parlava mi auscultava il cuore. «Come ti senti?»

«Bene» bofonchiai cercando di capire dove mi trovavo. «Non ricordo...» Iniziai ad agitarmi, muovevo le mani cercando di afferrare le sbarre delle spondine.

«Ferma! Non ti muovere.» Alla fine mi avevano bloccato le mani per tutto il tempo che ero restata sotto morfina.

I mesi di convalescenza trascorsi in inattività forzata sarebbero stati un punto di svolta.

Avevo diciotto anni e un percorso che per la mia famiglia era già segnato: gli studi di Lingue e cultura del Mediterraneo da portare avanti e poi il lavoro, di sicuro l'incontro con un ragazzo di lì, una vita *normale*. Forse, prima dell'incidente, mamma e papà sarebbero riusciti a imbrigliare la mia vita in quella direzione, convincendomi a rinunciare ai viaggi, ma adesso i miei sogni erano più grandi.

Chiusa nel letto, immobile, costretta a essere accudita, avevo comunque trovato il modo per evadere dalla prigione

dell'ospedale. Mi ero ricordata le parole della mia professo-
ressa di italiano alle medie; lei ci aveva insegnato che studia-
re, essere informati, leggere libri e giornali era fondamentale,
la base indispensabile per riflettere e farci una nostra opinio-
ni sui fatti.

La soluzione migliore era stata quella di navigare in rete.
Con Internet potevo andare ovunque, imparare cose nuove,
perfino incontrare nuovi amici. Intanto avevo cominciato a
migliorare ed ero passata dal letto alla sedia a rotelle, poi alle
stampelle, prima due e poi una e, infine, dopo un lungo periodo di riabilitazione, ero tornata a camminare.

Avevo deciso di cambiare il corso di studi all'università ed
ero passata a Commercio estero, una facoltà che prevedeva lo
studio di tre lingue straniere e che mi avrebbe facilitato nella
ricerca del lavoro. Inoltre concedeva la possibilità di accedere
a degli stage, il più interessante era quello a New York da Valentino. Avevo approfittato anche dell'Erasmus per trascorrere un anno in Germania.

Volevo vedere il mondo per conoscere altre culture e anche
per tentare la sorte. Avevo deciso di scommettere su me stessa e volevo vincere.

Vibravo di passione e di entusiasmo. Mi sentivo forte. Le
mie gambe erano state ferme troppo a lungo. Una volta presa
la rincorsa, mi ero fermata solo cinque anni dopo, quando ero
arrivata a New York.

4

IL PRIMO LIVELLO DEL PARADISO

New York, venerdì 26 maggio 2006.
Quella volta durante l'atterraggio non avevo chiuso gli occhi, come faccio di solito. Il panorama mi aveva catturato facendomi quasi dimenticare la paura. New York galleggiava dentro una bellissima giornata di sole. L'aeroporto conteneva *tutti in un punto*. Lo spazio, ogni piccolo spazio, era occupato da un infinito repertorio di esseri umani tratteggiati dalla mano di un pittore visionario. Riuscii a recuperare il trolley abbastanza in fretta. Al terminal c'era un guazzabuglio di taxi, pullman, navette e limousine, in attesa.

Sapevo come muovermi, avevo studiato con cura il percorso prima di partire. Mi diressi all'Airtrain, la sopraelevata che dall'aeroporto JFK porta a Jamaica Station, a Brooklyn e da lì, con la metro, a Manhattan, Queens e il Bronx. Per fare tutto il percorso ci misi più di un'ora. Ero sfinita, la stanchezza si era mescolata all'ansia. Avevo appuntamento con la ragazza turca con cui avrei condiviso l'appartamento. Di lei sapevo solo quello che mi aveva detto Federico, il comune amico che la conosceva dal tempo in cui lui era stato a New York, circa un anno prima. Federico ci aveva messo in contatto e io e Asena ci eravamo scambiate qualche e-mail per metterci d'accordo riguardo all'affitto e alla data del mio arrivo. E se mi avesse dato buca per un motivo qualsiasi?

Presi la metro gialla e scesi alla fermata di Elmhurst Avenue, nel Queens, poi salii in superficie trascinandomi dietro il trolley. In cima alla scalinata ripresi fiato e notai una ragazza con la faccia tirata in una smorfia incerta; portava piccoli occhiali tondi e indossava una tuta leggera, grigia con i risvolti rosa. Sventolava un cartello con scritto il mio nome.

Le feci un cenno con la mano e lei mi sorrise. Io corsi ad abbracciarla tirandomi dietro la valigia ballonzolante.

«Anna, sei Anna. Come sei elegante!» esclamò mentre si scioglieva dalla mia stretta. In realtà ero stazzonata, impolverata e accaldata.

«Sarai stanca!» Mi fece cenno di seguirla. Le toccai il braccio per attirare la sua attenzione e lei mi scrutò, curiosa.

«Asena?» domandai, d'improvviso sospettosa.

«Sì» rispose. «Chi pensavi che fossi?» Rideva in modo buffo, aspirando aria dalla bocca.

«Federico ti manda i suoi saluti» dissi, rinfrancata.

Risalimmo la via a passi misurati. Asena mi indicava quel che c'era di utile nei dintorni. Io non le prestavo molta attenzione, intenta com'ero a scrutare le facce della gente, di tante etnie diverse, le case di legno scrostate. Rallentammo davanti a un negozio che vendeva un po' di tutto. Sulla porta stazionava un cinese, in una mano aveva una sigaretta, nell'altra una lattina di CocaCola, ai suoi piedi era accucciato un chihuahua. L'uomo sorrise ad Asena che ricambiò e si chinò per accarezzare il cane, l'animale si alzò e fece qualche passo, scodinzolando: era zoppo. Feci in tempo a intravedere un grande manifesto di Che Guevara oltre la vetrina.

«Che razza di posto è?» domandai.

«Il nostro *deli* di riferimento, qui si chiama così. Vedrai che ti salverà pranzi e cene. I cinesi che lo gestiscono tengono aperto sempre, anche di notte. Doggy è il loro cane da guardia» concluse ridendo.

Proseguimmo. I radi alberi che costeggiavano la via sembravano passarsela male, eppure per me tutto era magnifico. Proprio in quel momento Asena mi prese il braccio: «Ecco, ci siamo. Questa è casa nostra e guarda...» puntò un braccio. «Là c'è la Queens Library.» Era riuscita a scuotermi dallo stato di torpore in cui mi trovavo. Mi guardai intorno. Se mia madre avesse saputo in che posto ero finita si sarebbe sentita male. Per me era l'inizio di un'altra vita, sentivo che lì sarei stata bene.

Non riuscii subito a memorizzare ogni dettaglio della mia nuova casa, ma in seguito tutto mi divenne familiare. Attraversammo un giardinetto per salire i pochi gradini che conducevano al portone scalcagnato di un vecchio edificio. Era rosso, con la vernice scorticata e finestre un po' bianche e un po' marroni, una parte della facciata era di mattoni, dal primo piano partiva l'intonaco. Sulla sinistra c'era la scala antincendio, identica a quella che compare in tanti film, di fianco un'altra scala scivolava in basso di un piano, a un ingresso su cui era ben visibile la targa della Chiesa metodista.

Entrammo, accolte dagli odori di cavolo e piscio mescolati alle urla attutite di una lite che si stava consumando dietro la porta a pianoterra. Arricciai il naso proprio nel momento in cui Asena si voltava verso di me.

«Delusa? Ti aspettavi di meglio?» chiese, un po' sulle sue.

«No, figurati» risposi. «È che il cavolo mi piace, ma la pipì non la digerisco.» Non era granché come battuta e forse non aveva neppure un senso, tradotta nel mio inglese, ma lei cominciò a ridere, un po' fuori tempo, dopo di me. Alla fine ci eravamo capite. La seguii per due rampe di scale che una volta dovevano avere avuto qualche pretesa d'eleganza. La carta da parati, in parte scollata, era decorata con il disegno di file di cammelli stilizzati su uno sfondo color menta; la moquette bordeaux continuava anche nel piccolo ingresso dell'appartamento che avrei diviso con Asena. In soggiorno, il turchese delle pareti faceva a pugni con il pavimento di mattonelle dalle fantasie arabeggianti; c'era un grande divano di pelle marrone bruciato con i cuscini ammosciati e dei tavolini rotondi di misure diverse, disposti in ordine sparso e ingombri di libri, candele e piante grasse: cactus ed echeveria.

«Questa è la tua camera.» Asena spalancò la porta e mi rivolse uno sguardo dubbioso. «La ragazza che se n'è andata ha portato via quel che c'era in più, mi spiace.» C'era solo il letto, neppure il comodino.

«Va bene. Ci penserò poi. Adesso mi basta una sedia per posare le mie cose.» Eravamo una di fronte all'altra, allungai le mani e presi le sue. Asena ricambiò la mia stretta e ogni imbarazzo fu superato.

«Significa qualcosa il tuo nome?» domandai.

«Asena è il nome della lupa che, secondo la nostra tradizione ha generato il popolo turco. Magari ti racconterò la storia dopo che ti sarai riposata.»

Avevo voglia di chiacchierare, curiosare intorno e, allo stesso tempo, mi stavo spegnendo; ero così stanca che dovevo sforzarmi di resistere al sonno. La mia nuova amica se n'era accorta. Non mi fece domande, mi offrì dei muffin al cioccolato e un caffè turco, poi mi suggerì di stendermi sul letto.

Mi svegliai la mattina dopo, un sabato luminoso come un riflettore. Ancora insonnolita seguii il suono della radio che proveniva dal soggiorno. Asena stava mescolando un mazzo di carte mentre sorseggiava il caffè.

«Ciao! Taglia il mazzo e serviti» disse spingendo verso di me la tazza e le carte. Io obbedii senza pensare, aspirando l'aroma del caffè. Lei ritirò le carte e mi fissò, seria: «L'ho appena fatto con la macchinetta, in tuo onore. Non sarà come l'espresso che fate in Italia...».

«Fammelo assaggiare. Scommetto che è buonissimo.» Ero in crisi per il fuso orario. Scoprii subito che il caffè faceva schifo, ma rivolsi ad Asena uno sguardo riconoscente.

«Lo so che sei fuori fase. Cerca di rimetterti in pista. Prima è, meglio è. Ci sono passata tante volte.»

«Grazie, Asena. Ti piacciono i solitari?»

Mi guardò stupita e scoppiò a ridere: «Guarda che ti sto facendo le carte».

«A me? E perché?»

«Lo faccio sempre quando conosco qualcuno con cui devo avere a che fare e io e te dovremo dividere la casa per un po'. Fidati. Intanto curiosa pure in giro.»

Non me lo feci dire due volte, però non mi andava la storia delle carte. La superstizione non c'entrava. Non avevo mai creduto a sibille e tarocchi. Entrai nel piccolissimo cucinotto, più che altro una nicchia nel muro; la dotazione era composta da un piano elettrico, un forno a microonde e un frigorifero scalcinato, oltre a quattro pensili.

Mi infilai in bagno, lasciando la porta aperta. Non c'era il bidet, quando ero arrivata ero così stravolta che non me n'ero accorta. Per fortuna c'era la doccia invece della vasca. Notai che Asena aveva una dotazione di creme e trucchi molto spartana. Non c'era traccia di rossetti e neppure un profumo. Tornai in soggiorno stiracchiandomi. L'odore del caffè aleggiava ancora nell'aria ed era una consolazione.

«Dove hai imparato a leggere le carte?» domandai. Sopra di noi rimbombò il rumore di qualcosa che cadeva, seguito da un bel *fuck*.

«Mi ha insegnato un'amica dell'università» rispose Asena, tenendo una carta sospesa a mezz'aria.

«Facoltà di astrologia?» Contorsi la bocca in una risata che era anche uno sbadiglio.

«Sì. La docente è una mia amica. Lo sai che...» Picchiettava le dita della mano sinistra sul tavolo mentre con la destra lisciava in continuazione una carta.

«Cosa?»

«Guardati attorno mentre stai qui. Ci sarà un'occasione da non perdere.»

«Il lavoro? Andrà bene? Mi assumeranno?»

«C'è di meglio! Per caso in Italia hai lasciato un ragazzo? Qui incontrerai una persona.»

«Sì» risi, ma lei era diventata seria. «Sarà l'amore della mia vita. Ci sposeremo e vivremo felici e contenti.» Posai la tazza vuota sul tavolo e feci una giravolta. «È così?»

«Più o meno. Adesso devo andare.» Raccolse le carte e, nonostante le mie insistenze, non riuscii a farle dire altro. Anch'io avevo da fare. Avevo in programma un sopralluogo in quello che, dal lunedì successivo, sarebbe stato il mio posto di lavoro per i successivi tre mesi. Infatti, quando avevo scritto chiedendo se era possibile presentarmi in ufficio già il sabato, mi avevano risposto subito di sì. Mi occupai della valigia; tolsi gli abiti e li riposi sulla sedia, lasciai il resto nel trolley. Avevo fretta.

Prima di fare la doccia girai la manopola della radio alla ricerca di non sapevo cosa. Mi fermai sulle note di Promiscuous. La canzone di Nelly Furtado non mi piaceva, ma mi era familiare e tanto bastava. Muovendomi al ritmo sincopato di quel pezzo, distesi sul letto il completo che avrei indossato: pantaloncini bianchi sopra il ginocchio e una maglietta alla marinara a righe bianche e grigie, ai piedi delle ballerine con la punta affusolata. Io le chiamavo le *scarpe di Minnie*, erano tra le mie preferite, anzi, ne ero addirittura orgogliosa. L'abbigliamento era informale, del resto era sabato mattina e la mia sarebbe stata solo una visita di cortesia, tanto per curiosare. Dentro di me fremevo. Volevo fare buona impressione e speravo di incontrare compagni di lavoro simpatici. Immaginai che lì, a New York, tutti fossero abituati a prendere il lavoro molto sul serio. Per me non era una novità, anche dalle mie parti era così. Di sicuro i newyorkesi avrebbero avuto molto da insegnarmi e io non vedevo l'ora di imparare, di adeguarmi. Di sentirmi lì, a New York, come a casa mia.

Uscii con molto anticipo sull'orario dell'appuntamento, sapevo che Manhattan era parecchio lontano dalla parte del Queens in cui mi trovavo. Me la cavai abbastanza bene, presi la metro in direzione di Manhattan e scesi alla stazione di Times Square, invece che a Bryant Park, perché avevo voglia di immergermi nell'atmosfera della città. Times Square distava solo un isolato dalla 42esima, dove c'era il mio futuro ufficio, ma giunta lì, mi persi. Non trovavo il palazzo. Cominciai a percorrere avanti e indietro lo stesso tratto di marciapiede senza riuscire a individuare l'undici, il civico che era la mia destinazione. Mi decisi a chiedere a un passante e scoprii che la targa con il numero che cercavo era posta appena all'interno dell'ingresso, un po' nascosta. L'edificio aveva un'aria severa, nell'atrio rivestito di marmo sfumato in bianco e nocciola fui accolta dal portiere. Esibii il mio documento per avere il permesso di salire, in cambio ebbi un cartellino come lasciapassare.

«Ventiseiesimo piano» disse l'uomo e mi indicò gli ascensori.

Fu la mia salita verso il paradiso. Le porte si aprirono sul bianco: marmo a terra e alle pareti su cui spiccava, enorme, la scritta *Valentino* in lettere d'oro. Accanto erano appesi gli scatti di fotografi famosi che immortalavano alcuni dei modelli che avevano fatto storia, a terra dominava un grande tappeto rosso. C'erano anche diversi divani di pelle bianca e il banco della reception, deserta di sabato. Quasi subito si aprì la porta che conduceva al cuore degli uffici.

«Anna Venier?» Un uomo dal sorriso cordiale bloccò il battente e si spostò di lato. «Rosario Montrone» si presentò, invitandomi a entrare. «Hai fatto buon viaggio? Ti sei sistemata bene?» Aveva una stretta vigorosa, una voce profonda adatta alla sua corporatura massiccia. Mi fece sorridere la sua giacca color salmone in amore, stonata ma divertente.

«Sì, grazie.» Lo seguii nel dedalo dei corridoi mentre spiavo attraverso le porte aperte di alcuni uffici.

In fondo al passaggio si girò verso di me. «Qui ci diamo tutti del tu. Vedrai, ci sono molte persone simpatiche. Ecco, questo è il mio ufficio.» Mi bloccai sul filo dell'ingresso, incantata dalle enormi finestre che si affacciavano su Bryant Park. Con un unico sguardo potevo abbracciare l'Empire State Building, che riconobbi subito, la New York Public Library e, in lontananza, tutta Downtown, luoghi che mi sarebbe diventati consueti molto presto. Ogni cosa era enorme, fuori misura, a parte la gente che, in fondo al precipizio del grattacielo, si muoveva come una colonia di formiche.

«Anna? Ti chiami Anna, vero?» chiese una voce fuori campo.

«Anna Venier.»

«Rosario, la ragazza è sotto shock.» Da dietro arrivò una risata cordiale. Non mi girai, ero ipnotizzata dal panorama.

«Fa sempre questo effetto, la prima volta» disse Rosario. «Del resto sono i grattacieli più alti al mondo.»

«È laggiù in fondo, il posto dove mettono la pista di pattinaggio a Natale?» domandai a voce bassa.

«Alla bambina piace pattinare.» Di nuovo la voce di prima. Adesso mi girai.

«Pensavo che non sarei mai riuscito ad attirare la tua attenzione. Marco Falcioni.» Mi strinse la mano con tutte e due le sue. «Vengo da Fano, nelle Marche, Rosario è siciliano e il nostro capo[1] è di Voghera. Sei tra amici. Benvenuta nel Made in Italy of New York!» Marco indossava una polo a righine color puffo. Il suo sorriso, i suoi modi erano accoglienti come un abbraccio.

Mi colpì la differenza tra i due uomini: Rosario, alto e massiccio tanto quanto Marco era lungo e allampanato.

«Scusate» dissi, ritornando a posare lo sguardo all'esterno. «Non posso credere di essere qui. Questa vista è un colpo d'occhio incredibile.»

«È il cuore di Midtown. Ci farai l'abitudine.» Rosario era sprofondato nella poltrona direzionale e dava le spalle a quel che c'era oltre le vetrate. «Farai anche tu il tour delle meraviglie. Ci siamo passati tutti.» Alzò la testa e mi fissò per qualche secondo. «Non riuscirai a vedere granché della città in tre mesi. Qui c'è tutto il mondo ed è impossibile annoiarsi. Però, se saprai cercare, troverai il tuo Eldorado. Ognuno di noi trova qualcosa per sé.»

«Chissà cosa pescherà la nostra Anna!» Marco aveva avvicinato una poltrona, l'aveva sistemata in un punto da cui avrei potuto continuare a guardare fuori avendo la sensazione di galleggiare nell'aria. Mi toccò un braccio per invitarmi a sedere.

«Una catena di grattacieli» dissi mentre mi accomodavo senza perdere il contatto visivo con l'esterno.

«Sarebbe?» chiese Marco.

«La catena montuosa di New York» risposi.

«Qui abbiamo un'anima poetica» Rosario era divertito. «Sai che ti occuperai di numeri, vero? A proposito, non sarò io il tuo capo. Conoscerai Jeff Kamiński lunedì.»

«Mi piacerebbe vedere dove sarà la mia postazione. È possibile?» Mi ero ripresa. Adesso stavo osservando il resto dell'ufficio. Oltre la scrivania di Montrone ce n'era un'altra, più modesta, collocata di lato. Marco era seduto lì. Per partecipare alla conversazione aveva ruotato la poltrona e dava le spalle allo schermo del suo PC. Pensai alla scomodità di lavorare avendo il capo che ti controlla da dietro. Nessuna possibilità di navigare per scopi personali, nessun solitario a carte per una pausa fuori programma, difficile anche mandare una mail privata, con lui presente.

«Certo» disse Montrone. «Marco, ti spiace accompagnare Anna? Faccio una telefonata e vi raggiungo in cucina. Per il caffè.»

Guadagnai subito la porta dell'ufficio e sbirciai il corridoio, seguita da Marco. Lui chiuse il mio gomito in una stretta leggera, per guidarmi. Lo osservai di straforo: avevo dimenticato il suo cognome.

5
COSA DESIDERANO LE DONNE?

New York, giugno 2006.
Mi piaceva tutto di New York, del mio lavoro, quel modo di sentirmi libera in mezzo a un oceano di persone, ciascuna con la propria meta da raggiungere. La mattina, schiacciata nella metropolitana, ero un punto nell'universo eppure sapevo di contare qualcosa. Avevo il mio posto, la mia missione, andavo in una direzione precisa e guidavo la mia vita.

Io potevo scegliere. L'avevo già fatto lasciando l'Italia, lo avrei rifatto altre volte. Mi sarei adattata e sarei andata sempre avanti. Mi ero stampata in fronte, a lettere invisibili, il motto "Il mondo è la mia casa".

In ufficio imparavo cose nuove in relazione al lavoro e rispetto alla gente che incontravo. Avevo iniziato a capire che dovevo tenere la giusta misura con tutti e solo con gli italiani potevo rilassarmi, senza preoccuparmi troppo di contenere la mia naturale esuberanza. Che poi, a ben vedere, era l'entusiasmo che provavo per essere arrivata lì.

Stavo scoprendo un aspetto dello spirito americano. Se ti impegni, se dimostri di valere, allora gli altri ti aiutano, ti aprono spazi, ti danno fiducia. A nessuno importa chi sei e da dove vieni. Se sai fare, se lavori bene, allora vai avanti. Filtravo qualsiasi cosa vedessi o sentissi attraverso un giudizio benevolente, una sorta di cecità che mi permetteva di sentirmi sempre carica, contenta, piena di energia e di speranze. Era la spinta della gioventù, ero fortunata, certo, ma l'opportunità di uno stage da Valentino era frutto del mio impegno e non di una qualsiasi raccomandazione, come accadeva per tanti italiani, figli di papà e parenti di dio sa chi.

Mi sentivo forte, fortissima.

Ogni tanto mi prendeva quel languore, la nostalgia per la mia famiglia, gli amici, casa, ma passava in un lampo. Del resto sarei rimasta a New York solo tre mesi, poi avrei deciso quale altra strada percorrere.

Vivevo in uno stato di esaltazione. Per me ogni giorno era un nuovo inizio, una rinascita. Dovevo imparare ogni cosa da capo allo stesso modo in cui avevo imparato di nuovo a camminare dopo l'incidente. Qui l'obiettivo era impratichirsi per fare la spesa, mangiare, muovermi in città, gestire le relazioni con la gente... Vivere. Tutto!

Lavorare in una casa di moda esigeva il rispetto di alcune regole di base. Da Valentino mi occupavo di verifiche contabili eppure avevo l'obbligo di adeguare, come chiunque, ciò che indossavo allo stile della maison, che prevedeva ci si potesse vestire in modo sobrio in soli quattro colori base: bianco, grigio, blu e nero, nelle diverse sfumature. Era permesso indossare anche abiti colorati a patto che fossero firmati Valentino. Come dipendenti avevamo un bonus da spendere in abiti della casa e la possibilità di accedere ad alcune offerte particolarmente scontate, ma per le mie tasche i prezzi erano comunque proibitivi. Un altro requisito irrinunciabile era di essere tanto snelle da entrare nella famosa taglia quarantadue. Questo almeno non era un problema, infatti, ero tornata sottile nonostante ora mangiassi di tutto e in abbondanza.

Avevo ventidue anni e un lavoro che mi piaceva, in cui volevo dare il meglio. I primi giorni furono frenetici, avevo paura di non essere abbastanza pronta nel rispondere alle richieste che arrivavano sul mio tavolo. I colleghi erano tutti gentili, competenti, disponibili ad aiutarmi, nonostante fossero molto indaffarati, tuttavia avevo il terrore di commettere errori, di essere ripresa; per questo controllavo ogni cosa due volte, cercando comunque di fare bene e in fretta. C'era sempre parecchio lavoro e molti si fermavano in ufficio anche oltre l'orario normale, dipendeva dalle scadenze. In compenso avevo l'occasione di conoscere tanti nuovi amici: italiani, americani e di altre nazionalità. La padronanza di tre lingue, oltre la mia, mi favoriva. Capii subito che ogni giorno sarebbe stata una festa piena di scoperte.

«Allora, domani sera esci con noi.» Fabrizio era uno dei colleghi italiani ed era anche un amico di Marco. Anche lui era di Fano. Come me era uno stagista e ci eravamo incontrati tutti e tre, più volte, durante la pausa caffè.

«Non so» risposi.

Forse lui lesse la sorpresa nel mio sguardo e si affrettò a rincarare: «Non vorrai restare a casa il tuo primo venerdì sera a New York! Di solito facciamo un giro per locali, quelli giusti. Sai, con Marco che sfodera il *lasciapassare Valentino* possiamo entrare in posti che...». Marco non era uno stagista come noi; aveva superato quella fase da un paio di anni e stava scalando le tappe di una promettente carriera. La sua posizione gli concedeva alcuni vantaggi.

«Allora chi ci sarà? Marco, tu e...»

«Ci sarà Marco, tranquilla.» Il tono di Fabrizio era canzonatorio. Aveva messo su una faccia da schiaffi che mi infastidiva. Decisi di non dargli corda e lui proseguì: «Ci sarà anche Simone. Abita dove stiamo io e Marco. Uno a posto».

«E chi altri?»

«Magari la tua coinquilina. È carina?»

«Asena? È simpatica, mi trovo bene con lei, ma nel fine settimana va dal suo ragazzo.»

«Allora saremo solo noi quattro. Serata Made in Italy. Ti va?» Con un gesto automatico, Fabrizio allineò le carte sulla mia scrivania.

«Certo che mi va» risposi mentre spostavo alcuni fascicoli fuori dalla sua portata. «Smetti di allungare le mani» aggiunsi ridendo. In risposta lui strappò la pagina da un notes per scriverci sopra.

«Questo è l'indirizzo di Pepita, la tipa da cui stiamo. Raggiungici lì, siamo vicini a Manhattan. Dal Queens, dove stai tu, devi prendere la metro rossa . Stai attenta a non sbagliare la fermata. Dai, adesso fammi andare a lavorare.» Fabrizio mi ficcò in mano il foglio spiegazzato e si avviò lungo il corridoio. Nello stesso momento sentii la risata di Marco che si sovrapponeva alla voce di Rosario. Forse la porta del loro ufficio era aperta.

Ripensai al tono canzonatorio di Fabrizio e scoprii che desideravo incontrare Marco o anche solo vederlo passare davanti alla porta della stanza in cui lavoravo. Mi venne in mente che potevo tentare un appostamento in cucina, per un caffè.

In men che non si dica, avevo la testa piena di Marco e non riuscivo a concentrarmi su niente altro. Era successo così, senza intenzione. Fabrizio se ne era accorto prima di me.

Restai seduta alla scrivania, imbambolata. Una stupidina. Non so perché mi venne in mente Forrest Gump, un personaggio che mi aveva sempre ispirato tenerezza. Forse ero io, Forrest, e stavo scartando uno dei miei famosi cioccolatini. Stava accadendo qualcosa, una cosa nuova, bella. Non trovavo le parole giuste per definire quel che provavo nel pensare a Marco. Non era una febbre di stagione, di quelle che passano in fretta senza lasciare traccia. Ne ero sicura.

Marco, cos'era successo? C'erano stati gli incontri di ogni giorno per il caffè e un paio di volte per la pausa pranzo, qualche rincorsa per prendere insieme l'ascensore condita dalle risate e le due volte che era rimasto a parlare con me per chiedermi come andasse e passarmi qualche dritta. Poi mi aveva detto che per qualsiasi cosa potevo contare su di lui.

Marco. Era capitato in modo del tutto inatteso, nulla a che vedere con le cotte che avevo avuto in passato. Io che volevo avere ogni cosa sotto controllo, non lasciavo nulla al caso e per rassicurarmi passavo la vita a organizzare ogni passo di quel che c'era da fare, mi ero fatta sorprendere. Da cosa? Avevo paura a confessarlo a me stessa: era arrivato l'amore, strisciando, senza alcun preavviso.

Avevo tante cose da fare, da vivere. Mi domandai se questa storia invece che una cosa bella, potesse essere un intralcio. Avrei potuto gestire la questione. Quello che provavo mi lasciava a bocca aperta, con un gran sorriso.

Potevo sperare di avere incontrato l'amore? E lui?

Insieme? La parola insieme, io e Marco, Marco con me. Nei miei pensieri.

E Fabrizio? Lui mi aveva presa in giro, seppure con garbo, per qualcosa che ancora non avevo riconosciuto. Forse qualche altro poteva avere capito?

Stavo esagerando. Magari era tutta un'invenzione, mi sarei distratta concentrandomi sul lavoro. Forse era meno grave di quel che sembrava.

Mi ricordai che la sera prima di partire ero in giardino ad annaffiare i fiori di mamma, c'era stata un'ondata di caldo in anticipo sulla stagione. Io muovevo lenta la canna, facevo ghirigori sull'aiuola e nell'aria. Con la testa ero già in volo. Mio fratello mi aveva strappato la canna di mano e mi aveva bagnato per bene. Lui rideva, io volevo picchiarlo. Mi aveva rovinato la piega. Desiderai che fosse lì, a rovesciarmi acqua fredda in testa. Avevo bisogno di schiarirmi le idee. Dovevo esplorare, conoscere, costruire il mio futuro. Non avevo mai pensato all'amore come a un ostacolo, a qualcosa che ti toglie lucidità. Di sicuro era solo un momento. Avrei dovuto mangiare di più a colazione.

Alzai il braccio per inspirare l'odore nell'incavo del mio gomito, un gesto che facevo sempre quando volevo prendere tempo. Con la faccia coperta a metà fissavo le cifre che scorrevano sullo schermo del computer e intanto cercavo di chiarire a me stessa la situazione. Avevo preso una strambata? In testa giravano gli stessi pensieri, la forma cambiava di poco, la sostanza restava identica. Marco mi piaceva, e tanto. Mi stavo innamorando o magari la frittata era già fatta. Mi sentivo malata.

Trepidante d'amore per Marco.

Continuai a ripetermelo per tutto il giorno e anche la sera a letto. Non riuscivo a dormire, mi alzai a bere e scoprii che anche Asena era in piedi.

«Come mai non sei a letto?»

«Nostalgia» rispose Asena, seduta al tavolo con davanti un pastone di yogurt e cereali.

«Ormai sei qui da tanto. Sei una newyorkese. Io ti invidio.» Accesi la radio a basso volume, i Soul Asylum cantavano *Runaway Train*.

«Due anni. Anzi, un po' di più. Ma non è quello. Domani è un giorno importante per me. David mi presenta alla sua famiglia.»

«Allora fa sul serio!»

«Sì. Mi ha chiesto di sposarlo e io vorrei avere qui i miei genitori.» Ingollò un cucchiaio di quella roba densa e tirò un lungo sospiro.

«Io, non so... Credo mi sia successo qualcosa.» Esitavo a confidarmi. Non conoscevo bene Asena, avrei voluto avere accanto Bea. La mia amica mi avrebbe riportato con i piedi a terra. Alla fine mi decisi: «Penso di essermi innamorata. Un tipo dell'ufficio, si chiama Marco». Nel momento in cui mi uscirono le parole, il mio amore prese forza. Divenne reale, concreto. D'istinto allungai una mano nell'aria, davanti a me. Quasi riuscivo a vedere Marco, a toccarlo.

Asena sorrise: «Sì» disse. «Lo vedo.»

Tornai a letto, ma riuscii a dormire solo poche ore. Ero troppo eccitata dalla scoperta di essere innamorata e il fatto che Marco non avesse manifestato alcuna particolare attenzione nei miei confronti era solo un dettaglio. La distanza tra noi non mi spaventava.

Quella sera saremmo usciti insieme, era un buon inizio anche se non saremmo stati soli. Non lo vidi durante tutto il giorno. Lui, Fabrizio e Rosario Montrone erano impegnati in una serie di riunioni. Avrei voluto chiedere altre spiegazioni su come raggiungere la casa di Pepita, ma non importava. Avevo il biglietto con l'indirizzo che mi aveva lasciato Fabrizio il giorno prima. Mi sarei arrangiata.

Mi mancava l'abito giusto, avevo bisogno di qualcosa di spettacolare. Un vestito che Marco non avrebbe mai dimenticato. Mi confidai con Zoe. Lei era francese, lavorava da Valentino già da diversi anni e aveva un ruolo di rilievo nel marketing. Più grande di me, sulla trentina e forse anche oltre, era un tipo spigoloso ed era trattata con diffidenza dalla maggior parte dei colleghi. Eppure mi aveva preso in simpatia fin dalla prima volta che ci eravamo incontrate davanti alla macchinetta del caffè. Diceva che le ricordavo la sorella minore, rimasta in Francia a fare la moglie e la mamma. Zoe era sempre elegantissima e indossava spesso abiti firmati Valentino.

«Non preoccuparti» disse con fare misterioso. «Risolvo io il tuo problema, ma non farci l'abitudine.»

«Cosa intendi?» Intorno a noi l'aria era densa dei trilli dei telefoni, del ronzio delle stampanti, delle chiacchiere sommesse dei colleghi.

«Vedrai. Oggi salti il pranzo e vieni con me. Adesso ho da fare.» Zoe mi girò le spalle, lasciandomi a macerare nella curiosità fino all'una, quando comparve all'improvviso alle mie spalle. «Seguimi. Dobbiamo scendere.»

«Dove andiamo?»

«Ascolta, Anna. Non faccio spesso questo genere di favori. Solo alle persone che per qualche motivo mi vanno molto a genio.» Camminava in fretta lungo un corridoio secondario, uno di quelli in cui non mi ero mai avventurata. «Adesso avrai una bella sorpresa. Vedi di non deludermi, però.» Intanto eravamo arrivate agli ascensori di servizio.

«In che senso?» risposi, infilandomi nella cabina vuota.

«Io ti aiuto, ma devi conquistarlo, il tuo bel Marco. Non sarà facile, credo. È qui da due anni e non l'ho mai visto darsi da fare con nessuna. È uno che tiene alle regole e flirtare con le stagiste non funziona. La compagnia non vede di buon occhio queste cose, anzi, le relazioni tra colleghi sono *fuori legge*. Mi sa che il tuo bello si fa i fatti suoi ben lontano dall'ufficio.» Parlava continuando a far scorrere le dita sulla collana di scaramazze che risaltava in modo speciale sul suo abito blu elettrico. «Questo vuol dire che devi stare attenta. Mi capisci?»

Intanto le porte dell'ascensore si erano aperte su un salone pieno di file e file di stendini carichi di abiti. Zoe si inoltrò con passo deciso dentro il dedalo di stoffe, facendole frusciare in un suono che mi ricordò quello del grano maturo nel campo dietro casa, in Italia. Lei camminava spedita, io la seguivo carezzando sete, lini, lane preziose, pizzi, intarsi... facevo oscillare fusciacche e cinture, muovevo code, sollevavo garze di tulle leggerissime. I colori c'erano tutti, la fantasia di Valentino aveva inventato sfumature intraducibili con le parole; l'odore delle stoffe era intenso, difficile da definire, forse ricordava quello della carta mista all'appretto e poi, sottile, c'era anche una vena di cuoio: gli accessori. Ero talmente frastornata che quando Zoe si fermò andai a sbattere contro la sua schiena.

«Scusa.» Lei mi guardò di traverso. Io tirai su con il naso, come una bambina. Volevo ingraziarmela, essere la sua sorellina.

«Lui è Alvin. Lei è Anna, un'amica italiana.»

«Adoro le italiane!» Alvin mi soffocò in un abbraccio vigoroso che mi stupì. Era un uomo piuttosto piccolo, la sua testa arrivava al mio stomaco. Aveva un viso esotico, molto bello. Pensai che fosse un mago. Rimasi davanti a lui imbambolata.

«Per quando ti serve, baby?» domandò.

«Per stasera.» Zoe rispose al mio posto. «Senti, Alvin, può riconsegnarlo lunedì? Dai, non farla venire apposta qui domattina, di sabato.»

«Dipende da cosa prende.» Alvin arretrò di qualche passo, quasi affondando dentro lo stendino carico di completi in tutti i toni del sabbia che erano alle sue spalle. «Allarga le braccia» ordinò. Mi stava valutando con grande attenzione. «Cosa ci deve fare?» Era chiaro che si stava rivolgendo di nuovo a Zoe. Forse aveva concluso che non sapessi parlare.

«Mah, un giro per locali credo. Ci vuole una cosa elegante, ma senza esagerazioni. Però originale. Deve essere qualcosa

53

che si faccia ricordare.» Zoe ammiccò verso di me. «Dobbiamo fare colpo. Mi sono spiegata?»

Non ebbi il tempo di replicare.

«Vediamo.» Alvin si muoveva come un gatto nella distesa di abiti. Ne scelse tre. «Questi dovrebbero andarti bene. Provali che poi vediamo per gli accessori.»

«Dove vado a provarli?» domandai, guardando in giro alla ricerca di un camerino.

Zoe e Alvin scoppiarono a ridere. «Qui. Ti toccherà farlo davanti a noi. Come le modelle.» La mia amica stava lì a braccia conserte. Non aveva alcuna intenzione di togliermi dall'imbarazzo.

«Ah, queste italiane! Sono sempre così pudiche.» Alvin mi fissava, malizioso.

Ero imbarazzata, ma iniziai a spogliarmi. Quei due assomigliavano in modo sinistro al Gatto e alla Volpe.

6
La casa di Pepita

Qualche ora dopo emergevo dalla metro all'altezza della Centodecima. Mi accorsi subito che qualcosa non tornava. Riguardai il biglietto con le indicazioni scarabocchiate da Fabrizio; solo allora mi resi conto che nella fretta avevo preso la metro verde al posto di quella rossa. Ero arrivata all'altezza della Centodecima strada, ma ero dalla parte di Lexington Avenue, verso East, invece che sul lato West sulla Broadway. Non mi rimase che costeggiare Central Park dal lato nord per riprendere la giusta direzione. Non ero poi così distante dalla casa di Pepita, avrei solo dovuto allungare un po' il percorso. Camminando di buon passo, in un quarto d'ora, al massimo venti minuti sarei arrivata a destinazione.

Erano quasi le nove di sera di una calda giornata di giugno e c'era ancora un po' di luce. Mi sentivo luminosa come una stella. Grazie a Zoe, Alvin mi aveva affidato "in prestito" un abito di Valentino che era la cosa più bella che avessi mai indossato. Era di seta, rosa antico. Il taglio richiamava gli abiti che avevo visto indosso alle vestali greche sui libri di scuola; lungo fino al ginocchio, aveva delle strane maniche che lasciavano scoperte le spalle e poi riprendevano a coprire le braccia. Da sotto il gomito erano decorate con perline iridescenti dello stesso colore di base dell'abito. Le scarpe in tinta, tacco dieci e mezzo, non erano adatte per una camminata veloce, di sera, in una zona sulla linea di confine di un quartiere malfamato. Ero vicina al punto in cui terminava Central Park. Su quel lato era tutto buio. Sull'altro iniziava Morningside Heights, la parte che precede la Columbia University; sullo sfondo un'infilata di palazzi fatiscenti allungava una lunga ombra compatta, utile a mascherare i movimenti di gruppi di neri incappucciati. Alcuni si muovevano con fare furtivo, o almeno così mi sembrò allora. Di certo, più d'uno era un pusher. Per fortuna c'erano anche diverse persone che correvano e, nei pressi della metro, molti ragazzini scorrazzavano con lo skate.

Ci misi mezz'ora per arrivare a destinazione. Ero accaldata per la lunga camminata e non rallentai il passo neppure nel tratto finale, nonostante mi rendessi conto dello spettacolo messo in scena dalla gente che viveva la serata in strada. Notai che erano quasi tutti sudamericani, oltre a qualche nero. C'era chi stava seduto sui gradini dei palazzi, chi su delle sedie messe fuori a bella posta per godere un po' di fresco. Alcuni avevano arrangiato una specie di concerto e suonavano e cantavano in gruppo, incuranti di chi stesse ad ascoltare e di chi magari, dentro le case, volesse riposare. Nell'aria c'era un acuto odore di spezie, di pattumiera e di fumo, un insieme dolciastro, alla lunga nauseabondo. Mi strofinai il naso con il polso e aspirai il confortante aroma di Acqua di Giò, il mio profumo preferito.

I bambini, in tenute sbrindellate o seminudi, giocavano, si rincorrevano e si infradiciavano sotto l'idrante che rinfrescava l'aria e che io stavo attenta a evitare per non rischiare di bagnare l'abito. Alla fine salii i gradini della casa di Pepita in volata. Mi seccava essere in ritardo.

Suonai al citofono e restai in attesa mentre dall'interno arrivava il rumore di passi impegnati in una corsa leggera. Mi stupii di essere emozionata.

«Sei bellissima! Vieni, Anna. Ma questo vestito...» Fabrizio mi assalì con i complimenti mentre mi guidava lungo un corridoio piuttosto tetro e scuro. Sul fondo una lama di luce introduceva a una porta semiaperta.

«Entra. Questa è la caverna di Marco e lui è Simone, il terzo del gruppo dei Pepitas, per farla corta.»

Per primo vidi Marco, stava trafficando in piedi davanti al tavolo dove c'erano alcune bottiglie, dei bicchierini scompagnati e una grossa tazza con del ghiaccio. Alzò la testa e mi elargì il suo solito sorriso caldo, ma non si mosse. Lo sentii lontano, distante. Restai delusa e indispettita allo stesso tempo.

Simone, invece, mi venne incontro con fare smanceroso: «Allora, tu sei la famosa Anna arrivata fresca fresca dall'Italia». Mi baciò sulle guance.

«Famosa non direi» risposi mentre cercavo di accorciare le distanze tra me e Marco.

«Famosa sì, invece» ribatté Simone avvicinando una sedia per me. «Fabrizio non ha fatto che parlarmi di te. Mi ha fatto una capa tanta.»

«Di dove sei? Sei marchigiano anche tu?» domandai. Non mi interessava la piega che stava prendendo la conversazione. Ero arrabbiata perché Marco mi aveva concesso solo uno sguardo distratto mentre io mi ero data un gran daffare per prepararmi alla serata ed ero arrivata da lui piena di aspettative. Non sapevo bene cosa fare, come prendere la cosa.

Simone afferrò un'altra sedia e la piazzò davanti a me, al contrario. Si sedette a cavalcioni e abbracciò lo schienale. Mi fissò e riprese a parlare: «Napoli, sono di Napoli. Possibile che non l'hai capito? Vedi altri bei ragazzi come me, qui dentro?» Gli uscì una risata potente che coprì le proteste scherzose dei due amici. Solo allora lo guardai con attenzione. Era bello, e molto: alto con i capelli ricci e gli occhi scuri, la pelle ambrata e un fisico da sportivo. Però mi infastidiva che ci provasse con me. Marco servì il primo giro di Margarita, quasi senza guardarmi, gentile e indifferente. Mi ferì il suo fare distaccato, ben diverso dalla scossa che avevo avvertito io quando, prendendo il bicchiere, la sua mano aveva incontrato la mia. Sì, questa cotta era qualcosa di nuovo e io le avrei tentate tutte per avere l'occasione di capire dove mi poteva portare.

Con chi credeva di avere a che fare questo Marco? Avevo l'impressione che mi evitasse a bella posta. Ero quasi certa che se l'avessi toccato, sia pure in modo innocente, si sarebbe ritratto. Forse era una di quelle persone che rifuggivano il contatto fisico; sapevo che esisteva gente così anche se non l'avevo mai incontrata. Forse scansava perfino il mio sguardo, ma di questo non ero sicura. Magari Fabrizio aveva fatto qualche battuta su di me e lui si era sentito infastidito all'idea di avere una storia in ufficio. Forse gli piacevo e lo stesso non voleva darmi corda. In ogni caso mi teneva alla larga.

I ragazzi cominciarono uno scambio di battute piuttosto stupido. Non ero del tutto a mio agio e già mi domandavo se avessi fatto bene ad accettare l'invito quando qualcuno bussò alla porta.

«Puntuale come la muerte.» Fabrizio sottolineò la battuta con un gesto della mano e un guizzo degli occhi.

«Che rompicoglioni, 'sta donna!» Simone scavallò la sedia e andò ad aprire.

«Dai» disse Marco. «Lo sapete che ci vuole bene.»

Sulla soglia apparve una donna piccola e grassa, indossava un vestito a sottoveste di cotone stampato con disegnati degli improbabili rombi color mattone e giallo. L'origine sudamericana dei suoi tratti era inequivocabile e io pensai che potesse essere cilena. Mi alzai e d'istinto mi rivolsi a lei in spagnolo.

«Anna» mi presentai. «Cómo está usted señora?»
«Muy bien mi hija... Pero que linda estas, como te llamas?» rispose lei.
Fabrizio mi scoccò uno sguardo meravigliato. «Allora con lo spagnolo siamo a posto!»
«Anna è piena di sorprese» disse Marco. «Pepita è la nostra padrona di casa. Tutti noi abitiamo qui. Simone e Fabrizio hanno una stanza ciascuno, a lato del corridoio. A me, invece, che sono l'inquilino più vecchio, Pepita ha concesso un intero appartamento.»
«No se burle» rispose la donna. «No va a ser un palacio, es pequeño, pero es conveniente.»
«Se tornassimo all'inglese, Pepita?» Simone stava prendendo in giro la donna, ma il suo tono non era benevolo. Nella sua voce c'era un'arroganza malcelata che mi infastidì.
«Sorry! Perdon.» Pepita sorrise, bonaria. Aveva un modo di fare protettivo. Per un momento mi ricordò mia madre.
«Dai, che si è fatto tardi.» Marco mi posò le mani sulle spalle per spingermi verso la porta. Mi allungai per prendere la borsetta che avevo posato sulla cassettiera; quella non era in prestito di Valentino, era mia, un acquisto al mercatino dell'usato di Dolo: piccola, dorata, assomigliava a un piccolo scrigno.
«Sì, Pepita, adesso usciamo. Magari andiamo a ballare.» Fabrizio fece fare alla donna un mezzo giro di danza e lei lo assecondò ridendo.
«La notte è piccola e noi ce la godremo. Non è vero, Anna?» Simone mi prese sottobraccio e mi guidò fuori, nel corridoio. Mi girai per guardare Marco, che era rimasto indietro. Lui non badava a me, stava tranguigiando in fretta l'ennesimo Margarita. Dopo un momento uscì in corridoio e dovette trafficare con le chiavi per chiudere la porta.

Prendemmo un taxi scalcagnato e Marco salì di fianco al conducente, un nero rugoso con la pelle di cuoio che nelle pieghe si tingeva dello stesso blu della notte, e iniziò a contrattare il prezzo della corsa. Io ero seduta dietro, tra Fabrizio e Simone impegnati a fare una gran cagnara.

«In onore di Anna faremo un giro turistico» gridò Marco trionfante. I Margarita avevano tirato su di giri tutti, tranne me che mi ero limitata a un solo bicchiere.

«Adesso tieniti forte! Filiamo verso Manhattan dritti come fusi, da nord verso sud fino alla Quattordicesima.» riprese Marco con la voce un po' sfasata, alti e bassi esagerati. «Mia cara Anna, ti portiamo a Midtown West, a ovest di Times Square in mezzo all'isola di Manhattan, il cuore di New York. Lo sentirai battere. Tum, Tum, tum...»

«I want to be a part of it New York, New York...» Fabrizio iniziò a cantare.

«Impara, Anna» proseguì Marco a voce troppo alta. «La West Side Highway è l'autostrada che scorre a Ovest di Manhattan. Con questa arrivi subito da sud verso Downtown, dove c'è l'azione, l'action, capisci? È la via più diretta per andare nei nostri posti preferiti. New York è nostra, la dominiamo ormai, vero ragazzi?»

«Sì, cazzo!» Fabrizio batteva i pugni sulle ginocchia. Simone continuava a cantare, solo aveva abbassato il tono. Mi lanciò uno sguardo di sghimbescio, una specie di sorriso sornione.

«Sai qual è il mio regno, Anna?» Adesso Marco era girato verso di noi, le braccia penzolavano oltre il sedile e la cintura di sicurezza gli abbracciava la schiena. L'alcol lo aveva sciolto.

«Il Meatpacking District, quello è il mio regno!» sbraitava. «Con il mio lasciapassare, entro ovunque.»

«These vagabond shoes are longing to stray...» Adesso il coro di Fabrizio e Simone aveva ripreso vigore. Marco mi strizzò l'occhio e iniziammo a cantare anche io e lui: «Right through the very heart of it New York, New Yooork...». Ormai eravamo tutti presi dall'atmosfera della serata.

Ero euforica. Davanti a me stava scorrendo lo skyline di Manhattan, le luminarie mi elettrizzavano. Provavo la stessa sensazione di quando la domenica entravo al luna-park e la mia piccola mano di bambina cercava di liberarsi dalla stretta di mio padre per correre sulle giostre.

Qui l'aureola delle luci che sfumavano i contorni dei grattacieli, dei palazzi, delle insegne, dei taxi e dei treni aveva la stessa consistenza della nebbia di certe sere di novembre, nel campo dietro casa mia. Profumi, odori, umori tagliavano l'aria spessa di polveri: terra, sabbia, cenere, cipria, sudore, pelle, fiati, frammenti di vita.

Su questa giostra ero libera di fare quanti giri volevo. Quasi non ci credevo.

Le uscite di gruppo, a quattro, diventarono frequenti, quasi un appuntamento fisso. Aspettavo con ansia la sera mentre in ufficio manovravo per attirare l'attenzione di Marco, senza alcun successo. Mi trattava con simpatia, mostrava una confidenza amichevole. Si rivolgeva a me perfino con una certa aria di protezione.

«Non sono mica sua sorella.» Mi confidai con Fabrizio. Con lui, che aveva capito prima di me quanto fossi cotta del suo amico, avevo scoperto le carte.

«Dai, non prendertela.» Era l'una e noi eravamo stravaccati sulla solita panchina di Bryant Park a prendere il sole mentre mangiavamo un panino. «Adesso ti racconto un quasi segreto.»

«Un quasi segreto? Che roba è?»

«Un segreto che puoi condividere solo con persone speciali. Il segreto è di Marco e io lo condivido con te. Una cosa per la serie un filo rosso che ci unisce o il patto di sangue degli scout.»

«Cosa stai dicendo?» Ridevo.

«Sto farneticando» rispose Fabrizio. «Del resto è solo mercoledì. Abbi pietà di me. Mica sono Marco, io. Lui vive per lavorare, io lavoro per vivere.»

«Sì» risposi con aria sognante. «È così serio.»

«Però quando è venuto qui ha mollato la morosa in Italia.»

«...»

«Non fare quella faccia stralunata. Non l'ha abbandonata sola e incinta. Si sono lasciati. Lui mi ha detto che la storia era diventata troppo pesante. Giocavano ai fidanzatini dai tempi della scuola. La famiglia di lei stava bene, intendo a soldi. Marco no. Lei era esigente, troppo. Era diventata una relazione che a lui stava stretta. Ha tagliato e due anni fa, quando gli hanno offerto il primo stage, è venuto qui all'avventura. Ganzo, no?»

«Non so... Certo, se una cosa non va. Ma che segreto è?»

«Lui non vuole che si sappia. Io lo so perché al nostro paese abbiamo fatto compagnia insieme per anni. Chiunque sa tutto di tutti.»

«Non ho capito. Perché non vuole che...» Mi girai allungandomi oltre lo schienale della panchina e iniziai a sbriciolare il pane nell'erba. Mi era passata la fame.

«Non vuole più avere storie serie. Sai, l'aveva presa male anche se era stato lui a mollare.» Fabrizio bevve un sorso d'acqua dalla bottiglia che aveva nello zainetto.

«Quindi non c'è verso? Intendo, per me.»

Non rispose subito. Sembrò concentrarsi sulla processione dei passanti, un'intraducibile sequenza di etnie, colori, suoni e perfino odori. Qualunque cosa avesse detto, non avrei accettato la teoria che forse con Marco non avevo speranze, anzi, quel che avevo saputo poteva giocare a mio favore. C'era spazio per me, ne ero sicura.

Aspettai in silenzio che Fabrizio riprendesse a parlare: «Da quando è qui, Marco non ha fatto altro che lavorare, giorno e notte. Anche per questo ha già fatto una bella carriera. In due anni non è da tutti arrivare alla sua posizione. Da quando ci sono io, la solfa è cambiata». Mi guardò ridendo, poco convinto che fosse il caso di proseguire. Alla fine riprese, con aria tronfia, da maschio: «Lo deve a me se adesso se la passa meglio. Gli ho fatto ritrovare il gusto del divertimento. Se la fa con le modelle. Gli piacciono un sacco le brasiliane.» Mi sembrò ridesse di qualcosa che non mi avrebbe mai raccontato. Segreti tra uomini. Per un momento mi sentii perduta.

«Però... Sulla distanza potresti farcela. Eh, Anna, devi giocare bene la tua partita. Alla fine Marco è uno modello famiglia. Inventati qualcosa, ridagli il sapore dell'Italia. E poi... Hai visto che Simone è cotto di te?»

«Non mi interessa l'articolo, grazie.» Diventai rossa, mio malgrado.

«Ti informo che è un ottimo partito. Suo padre è un notaio, si passano la tradizione da generazioni. Il ragazzo è bello e ricco. Io e Marco siamo due spiantati. Abbiamo solo i nostri stipendi. Io poi sono un misero stagista.» Finse di lacrimare.

«Senti, Fabri...» In quel momento squillò il mio cellulare. Era Simone che mi invitava al cinema per quella stessa sera.

7
SIMONE

«Non è possibile annoiarsi a New York.» Simone parlava scrutando l'acqua dell'East River. Fece scattare l'accendino e riempì i polmoni di fumo con un tiro profondo. «Questa è la città più energica del mondo.»

«La più energica? Cos'è? Le hai viste tutte?»

«Cosa?»

«Le altre città del mondo.»

«Scema.» Mi diede un buffetto sulla guancia e feci in tempo a sentire l'odore di tabacco nelle sue dita. Mi diede fastidio. Marco non fumava. Oddio, forse qualche raro spinello. Come tutti.

Alla fine avevo accettato l'invito di Simone con l'intento di mandare un messaggio preciso a Marco. Non mi era mai successo di desiderare così tanto un ragazzo in tutta la mia vita. Ero posseduta da una forza che da un lato mi spingeva ad agire in modi che pensavo non mi appartenessero e dall'altro mi esasperava. Per esempio, non era da me il mezzuccio di accettare la corte di un altro di cui non mi importava per fare ingelosire Marco, che continuava a ignorarmi.

Non pensavo più a casa, chiudevo in modo sbrigativo le telefonate con mia madre. Lei aveva iniziato a indagare, sospettava che avessi conosciuto qualcuno di speciale. Lo sentivo dal tono teso con cui mi parlava.

Sì, sì, sì. Avevo la testa piena di Marco, ma non volevo farglielo sapere. Almeno non ancora. Del resto non c'era niente da dire, la storia non era decollata e chissà se mai... Sul lavoro cercavo di concentrarmi, non era il caso di rischiare una brutta figura. Del resto ero a New York perché avevo scommesso su me stessa e avrei mantenuto l'impegno a qualsiasi costo. Ero la mia prima fan.

Anche a costo di rinunciare a Marco? Mi venne in mente casa mia, la mia stanza con la finestra che dava sui campi di grano, un'onda tinta di biondo in estate, un catino pieno di nebbia in inverno. Mi investì un sentimento di affetto per la Anna che ero stata fino a qualche settimana prima e per la ragazzina che aveva cominciato a sognare di girare il mondo quando si era trovata inchiodata in un letto di ospedale. La missione dei miei genitori era compiuta, io lo sapevo anche se loro ancora non realizzavano che avessi spiccato il volo. Stavo decidendo per me stessa, perché io ero padrona del mio futuro.

Immaginai Marco in visita a casa mia. Avrei dovuto prendere tempo con i miei. Per loro Marco sarebbe stato uno straniero, almeno all'inizio.

«Ti sei persa?» Simone aveva finito di fumare e si era avvicinato tanto che mi ritrovai ammorbata dal suo sentore di tabacco. D'istinto tirai indietro il busto e lui mi acchiappò la vita. Le sue mani coprivano quasi per intero la mia circonferenza. Mi aveva colto di sorpresa e non ebbi il tempo di reagire: mi mise a sedere sul parapetto del ponte. Era alto.

«Fammi scendere.»

«Hai paura?» Sorrise, mostrandomi i denti. Con il mio corpo gettavo un cono d'ombra dentro la luce del lampione che ci sovrastava. I suoi lineamenti nel chiaroscuro mi resero ancora più inquieta, ma riuscii a non farlo vedere.

«Soffro di vertigini» dissi, seria. «Fammi scendere.» Sentivo che mi montava la nausea. Mi guardò, perplesso. La sua presa era sicura, ma allo stesso tempo considerai che in un secondo avrebbe potuto spingermi giù. Un pensiero folle, nato solo perché Simone non mi piaceva. Sbirciai l'acqua che scorreva sotto, nera. Chiusi gli occhi e annegai nella paura.

Finalmente Simone mi fece atterrare con un volteggio nell'aria, leggera come una ballerina. «Già, avevo dimenticato che l'altra sera ci hai raccontato che non ti piace volare. Scusa.»

«Invece tu hai raccontato poco di te. Come sei arrivato qui?» La confidenza che si era preso non mi era piaciuta. Da adesso in poi l'avrei tenuto a distanza e non sarei più uscita da sola con lui. Ormai mi dava fastidio stargli vicino e non vedevo l'ora che la serata finisse. Non gli avrei raccontato più niente di me. Mi ero chiusa dentro una bolla trasparente e impenetrabile, ma non sapevo bene come gestire la situazione.

«A Napoli mio padre è un notaio importante. Sono ricco, ma in famiglia mi tengono a stecchetto» disse in tono compiaciuto, ridendo. Un arrogante. Intanto avevamo ripreso a camminare. Intorno a noi c'era molta gente che passeggiava. Era una serata piuttosto calda. «Ti va se ti presento ad alcuni amici? Stanno qui vicino.» Si accorse che esitavo. «Sono italiani, ti piaceranno.» Forse teneva distinte le varie categorie di amici? Italiani con italiani e così via?

«Va bene, se è qui vicino...»

«A un solo isolato.» Mi prese sottobraccio e ci avviammo.

«Sai che non ho capito per quale Compagnia lavori?»

«Ah, ah! Per la compagnia dei fancazzisti.» Batté piano la sua mano sul mio braccio, come per rassicurarmi. Forse si era accorto che avevo preso le distanze dopo lo scherzo sul ponte. Accoglievo qualsiasi cosa dicesse o facesse, con distacco. «Mi sto barcamenando» riprese a dire. «Ho fatto tre mesi in uno studio legale, poi sono tornato in Italia e ora sono di nuovo qui. Risparmio abitando da Pepita, mangio a sbafo. Sai, ho tanti amici. Mio padre crede che sia sempre nello stesso studio legale.» Estrasse dalla tasca un portapillole d'argento di foggia antica. «Che bello! Posso vederlo?» domandai. «Adoro questi vecchi oggetti.» Si fermò e me lo porse senza parlare. Sul coperchio erano incise due iniziali che faticai a decifrare: R.T. «Di chi è?»

«Era di mia nonna, Renata. Dentro c'è una miniatura con l'immagine di nonno Nando.» Eravamo fermi davanti a un negozio di elettrodomestici. In vetrina c'era un enorme televisore che trasmetteva il repertorio delle squadre di calcio che di lì a pochi giorni avrebbero partecipato ai mondiali. Tutti e due ci bloccammo per guardare le immagini della nazionale italiana; Simone iniziò a recitare la litania della formazione. Non mi interessava, anzi, mi annoiava.

«Che romantica, tua nonna!» Feci scattare la chiusura e ammutolii. Dentro la scatolina c'era un bel po' di polvere bianca, all'interno del coperchio l'immagine del nonno era inzaccherata.

Simone strinse la mia mano nella sua, richiudendo il portapillole. «Ho una sorella in Italia. Per la precisione è la mia gemella. Lei mi vuole bene e ogni tanto mi manda dei soldi. Di nascosto. Argent de poche per i miei vizi.» Rise, poi sottovoce aggiunse: «Ne vuoi? Ti va?».

Ebbi un capogiro e mi assalì la prima fitta di mal di testa. Il senso di colpa per uno sbaglio che comunque non avrei commesso si faceva sentire. Dovevo ancora fare i conti con questo sentimento di peccato che, nei momenti più inaspettati e a sproposito, mi saliva in gola e poi in testa. Non il risultato di un ragionamento, ma un sentimento di pancia. Un lascito della mia educazione, del catechismo, delle abitudini e di certi modi di pensare intrisi di pregiudizi che non mi appartenevano, ma restavano ancora nascosti in fondo al bagaglio che mi trascinavo appresso, mio malgrado.

«Allora?» Simone mi scrutava, ambiguo. Non avrebbe letto niente nei miei occhi.

«Hai capito male» risposi secca. «Sono stanca. Prendo un taxi e vado casa.» Mi spostai sul bordo del marciapiede e alzai il braccio.

«Dai, Anna. Almeno finiamo di goderci la serata.» Mi fu subito accanto, mi prese la mano. Il tono deluso era quello di un bambino che ha capito che non avrà il giocattolo tanto desiderato. Nel frattempo un'auto gialla aveva accostato.

«Va bene così.» Chiusi la portiera con un sorriso e lo lasciai solo. Era stato un bene che tutto fosse accaduto in fretta. Non avrei più perso tempo con Simone, neppure per fare ingelosire Marco.

8

LA VENEZIANA

New York, 27 maggio 2006.

Quel sabato, la comparsa della nuova stagista in ufficio era stata un piacevole fuori programma. Anna Venier aveva portato un po' di aria fresca in un momento in cui ne avevo un gran bisogno.

Carina, sicura di sé, impaziente di sentirsi a casa, qui come in Italia, Anna non era un tipo difficile da capire. Era molto diretta e a me sono sempre piaciute le persone trasparenti, che non hanno paura di mostrarsi per quello che sono. Fui subito a mio agio con lei.

«Ok, Anna. Hai vinto un tour completo degli uffici, così ti faccio anche conoscere quelli che sono qui oggi, gli sgobboni a oltranza.»

«Fantastico! Sono così contenta di essere qui. Da quanto tempo lavori per Valentino? Come ci sei arrivato?» Mi confortava la cordialità sincera di quella ragazza. «Scusami, lo so. Ti devo sembrare una invasata, ma che vuoi... Anche a te ha fatto lo stesso effetto arrivare nella Grande Mela?»

Mi accorsi che mentre parlava si muoveva presa dal ritmo di *Thievery Corporation*; la colonna sonora che, a un volume discreto invadeva gli uffici, la stessa usata in occasione dell'ultima sfilata d'alta moda. Ero tanto abituato a quel sottofondo musicale da non accorgermene più. Mi fece sorridere l'espressione rapita di Anna alla vista dei saloni pieni di scrivanie disordinate, dove molte postazioni erano occupate nonostante fosse sabato mattina. Lei si comportava come tutti gli italiani che vincevano lo stage da Valentino a New York: volavano alto e faticavano ad atterrare. Era successo anche a me, a suo tempo. Riconobbi che si librava nell'aria con una grazia particolare.

«L'idea di vivere a New York, anche se per poco, manda tutti un po' fuori di testa. Tu sei fortunata a essere arrivata adesso, con la bella stagione. Il difetto principale qui è il clima, soprattutto d'inverno, quando le temperature diventano gelate. Anche gli affitti sono un problema e perfino peggiore. Tu come sei sistemata? Ah, ecco: questo sarà il tuo posto, da lunedì.» Lei scivolò sulla sedia come fosse un trono, dimenticandosi di ciò che c'era intorno.

«Ehi, ragazzi! Steve, Zoe, Alvin...» Cercai di richiamare l'attenzione di quelli seduti più vicino. «Lei è Anna Venier, è di Venezia. Si fermerà qui con noi per tre mesi. Di più se avrà fortuna.» Le teste si alzarono e un coro di saluti dissonanti fluttuò nell'aria. Anna si girò e accompagnò al sorriso un gesto della mano. Zoe venne a presentarsi e stava attaccando bottone, ma le diedi lo stop. «Ok. Vi conoscerete meglio lunedì. Adesso Anna è in preda alla nota *sindrome della stagista di Valentino*. Lasciamole assaporare questo momento.» La battuta era vecchia, ma sortì lo stesso qualche risatina. Nessuno ribatté, del resto era sabato e avevano tutti fretta di iniziare la pausa del fine settimana.

Anna era seduta e stava tastando con delicatezza il piano di laminato, la tastiera del computer, spento. Spostò il mouse qui e là, altre prove di volo. «Bellissimo, è tutto bellissimo!» disse, trasognata.

Una simpatica bambina. L'archiviai. «Se hai finito di fare l'amore con il lavoro, andiamo a berci un caffè.»

«Certo! Ti sto facendo perdere tempo.» Era arrossita per la mia presa in giro. «Sono così felice... Essere a New York e avere incontrato degli amici italiani. Ce ne sono altri che lavorano qui?»

«Più di quanti puoi immaginare. Tanti italiani e tanti altri che vengono da tutte le parti del mondo.»

«Ma c'è anche qualcuno che sia newyorkese?»

«Ne conosco un paio e sono qui da due anni.» Mi dava soddisfazione canzonarla.

«Come sono?»

«I newyorkesi? In apparenza sono positivi, ottimisti. Vanno sempre di fretta, come tutti. Però, se gratti sotto la superficie, direi che sono degli insoddisfatti. Vivere nella Grande Mela vuol dire prendere la rincorsa e non fermarsi mai. Alla stessa maniera, noi tutti...» Anna mi fissava, attenta. Mi fermai: «Ecco, siamo arrivati. Questa è la nostra cucina».

«È piccola!»

«Cosa ti aspettavi? Un bar?»

«Oh, c'è la macchinetta della Lavazza!» Era addirittura intenerita. Poche ore fuori dall'Italia e già il suo entusiasmo era venato da un retrogusto di nostalgia. «Ha i bordi dorati!»

«Da dove arrivi di preciso? Venezia?»

«No. Da un paesino a mezz'ora da lì. È quasi campagna, con tanti filari di fabbriche, campi, una chiesetta e tanta nebbia in inverno.» Rise, imbarazzata.

«Beh, si sa che in Veneto è così, fabbriche e vino» risposi. «Noi che veniamo qui per lavorare, in un certo senso siamo tutti veneti o milanesi, come preferisci. Anche quelli come me che vengono dal mare.»

Anna stava bevendo, allontanò il bicchierino e sorrise. Sopra le labbra portava impressa una virgola di caffè. La veneziana, un bel tipo, non c'era che dire.

Avrei imparato a conoscerla bene, Anna, ma all'inizio non ne volevo sapere. Una possibilità da stroncare sul nascere, un potenziale pericolo. Fabrizio però non perdeva occasione per stuzzicarmi. Io sospettavo che Anna piacesse anche a lui.

«A proposito, Marco, lo sai che la bellina ieri sera è uscita con Simone? Oh, ma non ti secca?»

«No che non mi secca. Perché mi dovrebbe interessare?» Rimasi interdetto. Ero pigiato con Fabrizio nella metro; mancava una sola fermata per arrivare in ufficio.

«Intanto perché ti muore dietro. Dai, se non te ne sei accorto sei proprio scemo.»

«Mi chiamo fuori» risposi, strabuzzando gli occhi. «Però che Giuda che sei, Fabri. Mica mi sono accorto del tuo gioco.»

«Sarebbe?»

«Pensavo che la nuova recluta interessasse a te e che tu ne fossi perfino un po' geloso. Invece, le stai facendo da ruffiano. Ti sei scoperto. Bell'amico.» Intanto il treno aveva iniziato a frenare e io mi stavo avvicinando alle porte, sempre seguito da Fabrizio.

«Ma che ruffiano. Vuoi dirmi che non ti sei accorto di come ti si struscia e fa di tutto per attirare la tua attenzione? E tu, che fai? Quella è una in gamba, sai. Anna è una giusta, te lo dico io.»

Adesso eravamo sulla banchina, infilati nel fiume dei pendolari. Non dissi più niente. Non avevo voglia di approfondire. Lui poteva parlare e dire tutto ciò che gli pareva, ma io sarei stato fuori da questa storia. Certo che avevo capito di piacere ad Anna e la tenevo a distanza proprio per questo. Non volevo complicazioni perché mi ero reso conto che era scattato qualcosa tra noi. Qualsiasi cosa fosse, io non ci stavo.

Mi era capitato di incrociare certi suoi sguardi... Ero sicuro che quegli squarci di anima fossero riservati solo a me, ma non ne avrei approfittato.

Mi piaceva quel che facevo, le giornate calibrate sul lavoro, i pensieri circolari sugli impegni per la Compagnia e la carriera, qualche uscita per divertirmi in libertà, poi a letto a dormire un sonno senza sogni e senza pensieri. No, non avevo spazio per Anna, per nessuna come lei. Alla larga dalle storie di donne, almeno da quelle serie. La mia vita andava bene così com'era. Intanto avevamo raggiunto la strada e, chissà perché, ci eravamo infilati controcorrente nella massa compatta di persone che avanzava come un muro in direzione di Times Square. Eravamo sulla Quarantaduesima, prossimi all'ufficio quando notai due ragazzi che si baciavano poggiati a un lampione, senza alcun pudore. Come fossero stati soli.

La loro vista mi infastidì.

Respinsi la sensazione di essermi rintanato in una vita troppo grande per me solo, dove c'era parecchio spazio vuoto. A volte i pensieri vagavano per conto loro, mi portavano in direzioni che non avrei voluto prendere. Ogni tanto tornavo anche indietro nel tempo, a casa, quando c'era ancora mia madre. Non che avessi nostalgia dell'Italia e della mia famiglia, non com'era adesso. L'unico mio rimpianto riguardava mia madre, che avevo goduto così poco. Quando lei era morta avevo patito più di mio fratello, o meglio, avevo faticato più di lui a superare il lutto. Io ero il più piccolo, avevo solo quindici anni, e con lei avevo avuto un legame speciale. Di certo c'entrava la malattia che avevo avuto da bambino, un tumore che mi era costato un rene. Appena il tempo di capire che me l'ero cavata alla grande, una manciata di anni in cui eravamo stati come due innamorati, e poi era toccato a lei andarsene per colpa di un incidente stradale.

Il destino, dicono.

Io ero cresciuto solo, questa era la verità. Con mio padre e mio fratello avevo fatto del mio sorriso la mia bandiera, come adesso. Se sorridi ti accettano più facilmente e magari ti cercano pure.

Il sorriso è una maschera che piace.

Non mi serviva qualcuno con cui condividere quello che sentivo, i miei segreti. Forse un giorno, ma non adesso. Avevo degli obiettivi da raggiungere. Meglio concentrarsi sul lavoro e lasciare fuori tutto il resto. Appena in ufficio salutai Fabrizio e mi infilai a testa bassa nelle carte: budget, rendiconti e previsioni, numeri. Quando finalmente mi concessi la pausa caffè, trovai Fabri che mi aspettava al varco davanti alla macchinetta della Lavazza.

«Oggi l'hai vista?» Era uno che non mollava. «L'hai incrociata? Qui non c'è» continuò senza demordere.

«Senti, tra dieci minuti arriva Rosario e devo ancora finire il report. Non so altro.» Mi allontanai con il bicchierino di carta in mano.

Conoscevo Fabri da quando eravamo piccoli. Eravamo cresciuti nella stessa batteria di ragazzini e avevamo vissuto molte prime volte insieme: la prima sigaretta di nascosto, i primi commerci di giornalini usati, comunione e cresima nella stessa chiesa di quartiere, la scuola, le bigiate, gli esami... Avevamo perfino preso la cotta per la stessa ragazzina. Ciascuno di noi era riuscito a darle il primo bacio, beninteso in occasioni e tempi distinti. Poi ci eravamo persi di vista, io avevo fatto l'università ad Ancona e lui a Urbino. Si era laureato dopo di me.

«Chissà com'è andata con Simone! Non sei curioso?» Mi aveva inseguito in corridoio.

«Nooo.» Non avevo intenzione di dargli corda. «Guarda che davvero sta per arrivare Rosario. Levati di mezzo» dissi facendogli le boccacce. «Vai a far finta di lavorare.» Gli feci cenno con le mani di sloggiare e lui mi ricambiò con una pernacchia silenziosa.

Il solito Fabrizio.

New York e Valentino ci avevano riportati indietro di qualche anno. Lui era arrivato per tentare la sorte con uno stage e avevamo subito ritrovato la sintonia dei vecchi tempi. Esserci riuniti era stata una festa, però il mio amico era troppo invadente, o forse ero io che tentavo di difendere il modello di vita che mi ero costruito qui. Cercavo di restare nel mio guscio, ma Fabri continuava a provocarmi.

Negli ultimi due anni avevo dimenticato che oltre la carriera potessero esserci altre cose e lui se ne era accorto subito: «Marco, non ti riconosco. Sono qui da una settimana e ti vedo solo lavorare. Guarda che ti fa male.» Scherzava, ma non troppo.

«Dici?» avevo risposto, poco convinto. Una sera era riuscito a trascinarmi fuori dall'ufficio all'ora giusta per l'aperitivo e mi aveva costretto a entrare in un locale vicino a dove stavamo noi. Fabri aveva ordinato due bicchieri di prosecco. Li avevano portati con il ghiaccio. Fabri non aveva nemmeno commentato, preso com'era a farmi la paternale. «Adesso che sono qui, ti raddrizzo. Ti cambio la vita.» Aveva allontanato il prosecco, ormai annacquato. «Tu mi fai conoscere i posti giusti e io ti insegno di nuovo come si fa a divertirsi. Ci stai?»

Ci pensai su. «Il lavoro prima di tutto» dissi con fare pomposo, poi alzai il bicchiere contro il suo per un brindisi. Fabrizio aveva portato con sé l'aria di casa e qualcosa si era sciolto dentro di me. Avevo capito da un bel po' di tempo che appartenevo alla categoria di quelli che stanno con un piede in due scarpe, l'Italia e New York, che non è l'America. «In realtà il lavoro è tutto quello che ho. Quello che mi è rimasto» avevo concluso a voce bassissima. Continuavo a rigirare il vino, nel bicchiere non c'era più ghiaccio.

«Ho capito» disse Fabrizio, anche se era impossibile che avesse sentito la conclusione del mio discorso. «Ci penso io, cominciamo subito. Beviamo qualcosa di serio e poi cerchiamo un posto decente dove mangiare. Basta piatti cucinati da Pepita. Sono due anni che ti fa da mamma. Me lo ha detto lei.» Non mi diede il tempo di replicare. Allontanò i bicchieri, si alzò e andò a ordinare al bancone.

Da quella sera iniziammo a uscire insieme due, tre volte la settimana e spesso si aggiungeva alla partita anche Simone. Andavamo nei locali alla moda per rimorchiare. La mia card di Valentino apriva molte porte. Sbevazzavamo un po' troppo, Simone faceva anche altro, ma non è che combinassimo granché. Ogni tanto agganciavamo qualche ragazza, a volte perfino qualche modella. Io avevo un debole per le sudamericane dalla pelle ambrata. Qualcuna era anche disponibile, però c'era il problema di dove andare. L'indirizzo di Pepita faceva arricciare il naso a molte e anche quelle che accettavano, nel migliore dei casi si scocciavano di dover entrare in casa di nascosto, come ladre, e senza scarpe per non fare rumore. Se Pepita si fosse svegliata non l'avrebbe presa bene. Abitare lì imponeva il rispetto di regole rigide e le camere non erano granché, in compenso costava davvero poco. Trovare un'alternativa non era facile. Le ragazze spesso condividevano non solo l'appartamento, ma anche la camera, per risparmiare.

L'arrivo di Anna nel gruppo era stato un diversivo piacevole, ma non aveva modificato le nostre abitudini. Lei era sveglia, sapeva stare in compagnia, fingeva di bere con gusto lo shottino di prammatica, ma avevo capito subito che era un tipo da spremute, centrifugati e prodotti bio. Continuavo a ripetermi che una così non rientrava nei miei obiettivi. Non volevo scossoni nella mia vita, eppure ogni tanto mi ritrovavo a sperare di incrociarla in corridoio, in ascensore o davanti alla macchinetta del caffè.

Più lei entrava nei miei pensieri e più mi mostravo distaccato nei suoi confronti. In fondo mi piaceva la sfumatura di delusione, un velo leggero come una cipria, che le calava in faccia quando lei cercava la mia attenzione e io la ignoravo a bella posta. Leggevo Anna come un libro aperto, anche se non la conoscevo e provavo per lei un'infinita tenerezza. Proprio per questo non l'avrei presa in giro.

Del resto ero venuto a New York per mettere l'oceano tra il mio passato e il mio presente e per non avere più a che fare con le italiane. Casa mia mi stava stretta, il futuro che intravedevo in Italia non era quello che sognavo. Però non sapevo dove sarebbe stata un giorno casa mia, quella vera; non riuscivo a immaginarlo. Forse era il destino dei migranti di ogni stagione, comunque ero sicuro che avrei avuto tutto il tempo necessario per scoprirlo.

Avevo deciso di voltare pagina quando era finita la mia storia con Marcella, iniziata sui banchi del liceo. Tutti quelli che ci conoscevano, davano per certo che ci saremmo sposati. Lei premeva perché mi impegnassi a costruire un avvenire agiato. Voleva essere la moglie di un uomo con una posizione da far valere. Sembrava che sposarsi fosse l'unico obiettivo della sua vita. Me lo buttava in faccia ogni volta che i discorsi viravano sull'ipotesi di un futuro insieme. Il gioco lo conduceva lei, più nicchiavo e più lei mostrava il suo lato autoritario. Avevo cominciato a sentire che mi mancava l'aria.

Al mio Paese, uno dei tanti sulla costa adriatica, se vieni da una famiglia povera, mica è facile cambiare le carte in tavola.

Se non sei raccomandato, se non hai le conoscenze giuste, al massimo puoi sperare in una salita lenta e spesso non tagli mai il traguardo. Del resto in Italia è sempre stato così. Lo diceva anche Rosario, il mio capo, che era partito dalla Sicilia con le pezze al culo e a New York aveva trovato l'America solo grazie alle sue capacità.

Nonostante le distrazioni, avevo terminato di controllare il report che stavo scrivendo. Salvai il documento e lanciai la stampa, poi mi alzai per andare alla Xerox confinata nell'angolo opposto dell'ufficio. L'orologio segnava dieci minuti alle undici. Avevo finito in anticipo, potevo prendermi una pausa mentre aspettavo che arrivasse Rosario.

Mi voltai verso la finestra. La mia New York era lì per me, come sempre, come quella mattina di un paio d'anni prima. Era estate anche allora e di lì a quindici giorni sarebbe terminato il mio stage da Valentino. Sarei dovuto tornare in Italia. Appoggiai le mani sul vetro e il ricordo di quello che era accaduto allora ritornò a galla.

«Marco, ti aspetto nell'ufficio di Bailey tra quindici minuti.» Rosario troneggiava sopra la mia postazione di lavoro di allora, vicina a quella che ora occupava Anna.

«Io? Da Bailey?» Ero incredulo e già su di giri, lui era sparito lungo il corridoio senza dare altre spiegazioni. L'orologio segnava le dieci e tre quarti. Mi ero alzato ed ero andato in bagno, evitando gli sguardi curiosi dei colleghi. Mi ero dato una sistemata. Fermo davanti allo specchio studiavo la mia faccia. Ero io, ma estraneo a me stesso. Allora avevo scelto di entrare nella parte, mi ero dovuto impegnare per superare una sensazione simile a quella che si prova uscendo dal sonno la mattina, non sapendo bene dove ci si trova.

Con uno sforzo misi a fuoco la mia immagine. Mi spiacque non avere la cravatta. Non la indossavo mai, l'avevo sempre considerata un accessorio inutile e fastidioso, però per una convocazione nell'ufficio di Jim Bailey, l'amministratore delegato della sede americana di Valentino, ci sarebbe stata bene. Pensai di recuperarne una, ma alla fine lasciai perdere. "Io sono come sono" pensai. "Se hanno deciso che gli interesso vuol dire che vado bene così." Invece di andare direttamente all'appuntamento, ritornai alla mia scrivania, bighellonai lì intorno per un paio di minuti, senza un motivo. I colleghi vicino alla mia postazione mi osservavano, alcuni avevano una vena di invidia negli occhi. Tutti aspettavano che dicessi qualcosa. Io accennai una specie di smorfia, allargai le braccia, disarmato nei confronti di ciò che dovevo affrontare. Mi arrivò qualche insulto bonario e qualche in bocca al lupo.

Finalmente mi decisi a imboccare il corridoio che portava all'ascensore.

Pigiai il tasto del trentesimo piano.

Non ero mai stato nell'ufficio di Bailey, ne avevo solo sentito parlare. Quando la sua assistente mi aprì la porta ebbi la sensazione di ritrovarmi sospeso nell'aria. Due intere pareti erano di vetro, lo spazio era enorme.

«Vieni, entra.» L'amministratore delegato occupava il posto di comando dietro una scrivania di cristallo. Mi fece cenno di accomodarmi nella poltrona di fronte. Al mio fianco era già seduto Rosario; rideva sotto i baffi.

«Impressionante, vero?» disse Bailey. «Tutti quelli che entrano qui per la prima volta restano sciocchi.» Fece un gesto ampio con la mano come volesse accarezzare lo spazio in cui navigavano due tavoli da riunione e due aree con divani, un bar e un angolo attrezzato con alcune macchine per il fitness: una cyclette, una panca e un tapis roulant. Oltre le pareti di cristallo il panorama, per certi aspetti simile su entrambi i versanti, era comunque diverso. Differente anche da quello dell'ufficio di Rosario e mio, alcuni piani più sotto, che pure era spettacolare.

Qui si era in volo.

La giornata era piuttosto calda e se da un lato il cielo era di un blu quasi cobalto, dall'altro le nuvole, simili a una soffice mollica bianca, frastagliavano il profilo dei grattacieli. Più in basso l'aria era gialla. Non c'era niente di usuale in quel che vedevo. New York era una gran puttana, l'avevo sempre saputo. Quando arrivi, migrante italiano di ultima generazione, giovane di belle speranze senza raccomandazioni e senza mezzi, ti accoglie con le gambe larghe nello sporco di un tugurio in cui non avresti mai immaginato di essere costretto ad avere casa. Se sei in gamba e hai fortuna, riesci a conquistarti una sistemazione in periferia, ma lavori a Manhattan e ti diverti a Soho. Solo se fai il gran salto e ti piazzi in alto, tra le nuvole, lei ti svela la sua vera anima e allora, forse, ti è concesso di avere quel potere che ti dà l'illusione della felicità.

«Scusate. Non so descrivere...»

«Sarebbe strano il contrario» rispose Bailey. «Qualche volta succede ancora anche a me.» Buttò lì le parole come una concessione, forse parlava a se stesso. Si alzò, poggiò le mani sulla scrivania e, guardandomi dritto in faccia, disse: «Bene, veniamo a noi».

Cristo, che giornata era stata quella. Mi avevano offerto il posto fisso di assistente di Rosario e mi avevano fatto capire che mi avrebbero tenuto d'occhio in modo speciale. Alla fine Bailey aveva concluso il discorso con una domanda: «Allora, accetti?».

E come avrei potuto rifiutare, seduto in quell'ufficio, con quei due pezzi da novanta e il mio spirito sospeso fuori dalle vetrate? Non ero più Marco Falcioni, stagista marchigiano che ci provava a New York. Adesso ero Marco Falcioni, uno che con tanti sacrifici ce l'aveva fatta. Appartenevo alla squadra di Valentino. Forse era destino che rimanessi qui. Avrei avuto altri momenti speciali come quello, lo sentivo.

Ero a New York e quella adesso era casa mia. Non avrei mai più levato le tende da qui? Non lo sapevo. Un aereo attraversò il cielo. Ebbi un brivido perché mi sembrò troppo vicino.

Mi sbagliavo, per fortuna, comunque il tempo dei ricordi era scaduto. La Xerox aveva finito di stampare. Tornai al computer e per prima cosa controllai la posta. C'era un'e-mail di Anna indirizzata a me e a Fabrizio:

> Ciao Marco, ciao Fabri!
> Quanto tempo è che non mangiate italiano? Vi
> aspetto domani sera da me. Portate il vino.
> Anna

Seguiva l'indirizzo.

Già, la ragazza aveva le mani in pasta, per così dire. Mi aveva raccontato che le piaceva cucinare, in occasione del nostro primo incontro, quel sabato mattina in cui era venuta ad annusare l'aria in ufficio. Si era commossa alla vista della macchinetta della Lavazza e avevamo parlato di quanto caffè servisse per un tiramisù.

Chissà, magari ce lo avrebbe fatto trovare come dolce, l'indomani sera.

«Andiamo, vero?» Fabrizio era ricomparso dal nulla. Aveva la cravatta lenta e il ciuffo fuori posto.

«Ma tu non lavori mai sul serio?» Mi veniva da ridere, ma tenni duro. «Non so. Mi deve confermare l'appuntamento Janina. Sai, la modella che assomiglia come una goccia d'acqua a Laetitia Casta.» Fabrizio non disse niente, ma la sua espressione era simile a quella di una maschera tragica. «Ok, Ti voglio bene. Andremo da Anna» dissi.

«Rinunci a Janina per mangiare italiano? Grande Marco! Non avrei mai pensato...»

«Infatti, non pensarlo. Non lo avrei mai fatto. È che purtroppo non ho in ballo niente con Janina. Sai, vorrei, ma lei non mi fila.» Mentre parlavo avevo terminato di fascicolare la relazione. Sentii la voce di Rosario che parlava con qualcuno. Stava arrivando e doveva essere in fondo al corridoio.

«Stronzo, sei proprio stronzo» disse Fabrizio in tono affettuoso, a voce bassa. «Hai visto l'indirizzo? Non avevo capito... Ma dove cazzo sta, Anna?»

«Nella parte sbagliata del Queens. Dai, adesso sparisci.» Al posto di Fabrizio comparve Rosario, impeccabile in un abito grigio cenere. Inclinò la testa: «Prego» disse, poi si scostò dalla cornice della porta per lasciare il passo a una donna: Anne Hathaway.

Rimasi bloccato al mio posto. Rosario mi diede un'occhiataccia complice e divertita allo stesso tempo. Fece le presentazioni, ma lei non mi degnò di uno sguardo. Aspettavamo tutti di vederla ne *Il diavolo veste Prada*. Di persona era magnifica.

«Scusate» dissi. «Rosario, qui c'è la relazione.» Agitai nell'aria la cartelletta in cui l'avevo chiusa, poi la posai sul bordo della scrivania, lui mi fece un impercettibile cenno di congedo. Dal corridoio veniva un brusio sospetto. Dopo tutto, il nostro piano era riservato agli uffici finanziari della Compagnia. Una come la Hathaway qui non si era mai vista.

Uscendo dalla stanza chiusi la porta. Fuori c'era un gruppetto di colleghi che bisbigliava, incuriosito. C'era anche Anna, parlava fitto con Zoe e con Fabrizio. Quel giorno portava i capelli raccolti in alto. Il suo collo assomigliava a quello di Audrey Hepburn in *Colazione da Tiffany*.

9
ORTENSIE BIANCHE

Avevo trafficato in cucina per quasi tre ore, senza contare il tempo speso nella ricerca degli ingredienti giusti per la cena che avevo in mente. Quando ero arrivata, Asena mi aveva mostrato la dotazione di stoviglie di cui disponevamo; ora, di fronte al mio sguardo smarrito, era scoppiata a ridere in quel suo modo strano, bofonchiando e aspirando aria dalla bocca. Cominciava a darmi fastidio, ma non lo diedi a vedere.

«Cosa vorresti? I sottopiatti d'argento?» chiese.

«No. Ma qui è tutto spaiato. Almeno c'è qualche piatto da portata? Ciotole?» Spostavo le stoviglie sul tavolo per cercare di accoppiarle.

«Hai invitato a cena i tuoi colleghi oppure aspetti Laura e George?[2] Forse ho capito male...»

«Dai, Asena. Ho bisogno di fare bella figura. Lo sai. Verrà Marco. In Italia è importante che le donne sappiano cucinare bene. Gli uomini...»

«Oddio! Pensi che io non sappia cucinare? Se mi avessi dato retta avrei preparato i miei famosi meze e poi...»

«Devo cucinare *italiano*» scandii. «Ma non dovevi uscire per scegliere la lista nozze?»

«Sì e sono anche in ritardo. Come sto? I capelli sono a posto? Vado e non so se torno stanotte.» Le feci una boccaccia,

85

lei rispose con un sorriso malizioso e mi diede un piccolo pugno leggero sulla spalla, poi prese la borsa e sparì.

Recuperai la calma, stesi la tovaglia di fiandra a grandi righe bianche e grigie; l'avevo acquistata per l'occasione da Anthropologie e mi era costata un botto. Ragionai su come accoppiare le porcellane spaiate per ottenere un effetto armonioso o almeno accettabile. La maggior parte delle stoviglie era vintage, le forme diverse. I piatti più carini avevano disegnati dei fiorellini con motivi geometrici e il bordo era dorato. C'erano un paio di piatti da portata coordinati e alcune ciotole di colori diversi. Alla fine riuscii a mettere insieme una tavola divertente, piacevole, di sicuro un po' stravagante. Mi consolai pensando che ai miei ospiti magari sarebbe apparsa ricercata.

Al centro della tavola sistemai un paio di candele e un vaso con ortensie bianche che spandevano un leggero profumo. Ero stata molto incerta nella scelta dei fiori. Al deli dei cinesi c'era anche l'angolo del fiorista. Avevo faticato per decidere quale fosse il fiore giusto per la mia cena: annusavo, aspiravo forte con il naso, accostavo forme e colori. Alla fine mi innamorai delle ortensie bianche, erano freschissime ed emanavano un senso di potenza. Almeno a me avevano sempre fatto questo effetto. Mia madre mi aveva insegnato che non si regala mai l'ortensia alla persona amata, perché i colori accesi dei suoi fiori significano il desiderio di fuggire via. Io però le avevo comperate per me, per fare bella la tavola e poi il bianco evitava qualsiasi sgradevole interpretazione.

Mancavano dieci minuti all'arrivo di Marco e Fabrizio. Infilai un abitino color magnolia molto semplice, rinfrescai il trucco, sciolsi i capelli e indossai gli immancabili orecchini a cuoricino di Tiffany, una sorta di porta fortuna. Stavo dando l'ultimo tocco di rosso alle labbra quando suonò il campanello.

«Lo sai che stai in mezzo ai lupi?» Fabrizio aveva l'aria scandalizzata. «Oltre tutto casa tua è lontanissima dall'ufficio.»

«Quanto tempo ci metti ad andare e venire?» rincarò Marco. «Lo sai che questa non è una zona tanto sicura?»

«L'appartamento è carino, però» dissi io.

«Vero, ma qualunque appartamento abitato da donne è carino. Soprattutto in confronto alle stanze in cui stiamo noi maschi.» Fabrizio curiosava in giro, toccando i portafoto di Asena.

«Sì, casa nostra non regge il confronto. Del resto tu hai visto dove stiamo. Per fortuna che Pepita è una brava padrona di casa e ci aiuta.» Marco posò sul tavolo due bottiglie. «Il prosecco in tuo onore. Il verdicchio dei nostri Castelli in onore nostro. Il prosecco lo mettiamo in frigorifero.»

Fabrizio era già seduto al tavolo e tastava la tovaglia. «Te la sei portata dall'Italia? Anche mia mamma ce le ha di questa stoffa. Non mi ricordo come si chiama...»

«Fiandra. È una tovaglia di fiandra e l'ho comperata qui. Siamo a New York, dopotutto. Scommetto che anche tua mamma ce l'ha. È un classico. Vero, Marco?» Mentre parlavo avevo cominciato a portare in tavola il finger food. Avevo preparato crostini al salmone, rotolini di asparagi con prosciutto crudo, cubetti di frittata al pomodoro, spiedini con pomodori ciliegia e mozzarelline. Cose sfiziose, tanto per solleticare l'appetito.

«Aspettiamo altra gente?» Fabrizio aveva un'aria famelica, assaggiava ogni cosa senza fare complimenti. Anche Marco, del resto.

«No» risposi. «Siamo solo noi tre.»

«Mi pareva. Mi sa che hai preparato roba per un reggimento. Ma a me va bene. È il primo pasto decente che faccio da quando sono arrivato.»

Nel frattempo io mi ero alzata per prendere altri piatti in cucina. Marco mi aveva seguita.

«Dai anche a me qualcosa da portare in tavola.» Aveva aggiunto, sottovoce: «A casa le abbiamo, le tovaglie così. Non le tiriamo mai fuori. Mia mamma è morta quando avevo quindici anni. Un incidente». Girò le spalle e tornò al tavolo, da Fabrizio che si stava ingozzando. Avrei scoperto presto che anche Marco era una buona forchetta. Ero felice perché mi aveva detto qualcosa di sé. Una cosa importante. Si era confidato e avevamo stabilito un contatto. Tutto sarebbe andato bene, sentivo che si era accesa quella scintilla che ora toccava a me ravvivare.

Marco, Marco, Marco! Tornai al tavolo reggendo una grande ciotola di ceramica rossa.

«Cosa c'è lì dentro?» Fabrizio stava versando vino a tutti. La bottiglia dell'acqua non era neppure stata aperta.

«Un'insalata, per introdurre...»

«Introdurre cosa? Una sorpresa?» Marco stava radunando i piatti del finger food, tutti vuoti.

«Anche se è estate, di primo ho fatto le lasagne. Ho pensato...»

«Che dio ti benedica» gridò Fabri.

«Sì, che dio ti benedica. Io lo sospettavo, per via del profumo. Le prendo io. Stai comoda.» Marco era già in piedi.

«Fermo! Prima l'insalata.»

«Che cazzo, Anna?» Fabri brandì la forchetta come un tridente, sulla faccia l'espressione di un bambino cui hanno negato il gelato.

«Aspetta.» Marco mi tolse di mano la ciotola e tornò a sedersi. «Anna, comoda. Ti servo io. Cosa c'è in questa insalata?» Stava rimescolando gli ingredienti con aria perplessa.

«Provatela, è buonissima. Ci ho messo l'insalata iceberg con la mela verde, la feta e i bagigi. L'olio è toscano.»

«I bagigi?»

«Che cazzo sono?» Fabri aveva infilato la forchetta direttamente nella ciotola.

«Come dite voi? A casa da me, in Veneto, i bagigi sono le spagnolette. Avete presente le arachidi?» Presi un cucchiaio e ridendo pescai dalla terrina una nocciolina. «Ecco cosa intendo, storditi.» Il vino aveva riscaldato l'atmosfera anche se non ce n'era bisogno. Cominciammo a ridere tutti insieme, per i bagigi.

«Questo te lo sei inventato tu. Bagigi! Mai sentiti» disse Marco mentre trasferiva una porzione nel suo piatto.

«Non importa, lascia perdere. La veneziana cucina benissimo. Dalle corda, falle inventare tutti i termini che vuole.» Fabrizio bofonchiava con la bocca piena. «Vorrai mica sostenere che si è inventata i bagigi.»

Io ridevo tanto che mi lacrimavano gli occhi, come i miei ospiti, del resto. Era una sera calda in modo gradevole, il vino e il cibo avevano favorito un'atmosfera di casa che noi tre, più di altri, potevamo apprezzare. Quasi ero disposta ad ammettere che bagigi fosse un termine fasullo, che me l'ero inventato, anche se non era così. Mi asciugai gli occhi con un tovagliolo, il mascara lasciò il segno.

«Sei bella lo stesso» Marco allungò una mano è sfregò delicatamente il dito sul contorno dei miei occhi. Mi sentii sciogliere.

«I bagigi non esistono, vero?» sussurrò.

«I bagigi esistono.» Feci finta di arrabbiarmi. «O almeno esistono nel vocabolario di casa mia» affermai con scarsa convinzione. Non mi interessava. Seduta al tavolo apparecchiato con le stoviglie scompagnate, allegra, anzi, euforica perché stavo in mezzo a quei due ragazzi che mi erano amici, sentivo che i bagigi mi avevano fatto segnare un gran punto.

Soprattutto con Marco. Scherzavamo, le parole non avevano importanza, era il modo in cui ci rivolgevamo l'uno all'altra, i gesti assorbiti in movimenti lievi. Lui mi veniva incontro, io mi ritraevo sorridendo, ma era come se gli avessi lanciato un bacio.

Tra una portata e l'altra ci fu un attimo di silenzio. «Ci hai messo all'ingrasso.» Fabrizio era rosso in faccia, la voce rauca, l'espressione alticcia.

«Consideratelo un pranzo della domenica all'italiana.» Mi pentii subito dell'accenno. «Hai delle sorelle, Marco?»

Lui tirò fuori il portafoglio ed estrasse una foto: «Questa è la mia famiglia». Su una spiaggia di ciottoli, seduti sopra un pattino c'erano un signore anziano, certo il padre di Marco, e due ragazzi. C'era anche una bella ragazza in bikini, i capelli biondo cenere.

«Che bella famiglia. Un fratello e una sorella...» Mi interruppe subito: «Non è mia sorella, è Sofia la fidanzata di Matteo, il mio fratellone, questo sono io, il piccolo di casa» concluse, riprendendo la foto.

«Non assomigliate a vostro padre» dissi.

«Proprio per niente» intervenne Fabrizio. «Loro sono tutti e due il ritratto della madre. Non hai una foto?»

Marco aveva già in mano la foto di una giovane donna, un primo piano su un bell'ovale, capelli ondulati alle spalle, tratti regolari. Una bellezza classica che colpiva per la forza malinconica dello sguardo.

«Tua madre?» dissi. «Le somigliate molto. Una bella donna.»

«Diceva sempre che noi due eravamo il capolavoro della sua vita.» Marco ripose la foto nel portafoglio con un gesto paziente, per non sciuparla. C'era un affetto tanto profondo nel suo modo di fare, che mi commosse.

Mi incantai un momento, perdendomi a fantasticare sull'idea di una tenerezza tanto intensa e gentile, dedicata solo a me. Valeva la pena di coltivare quello che stava nascendo, a ogni costo.

Ho un ricordo confuso di ciò che accadde dopo. Ridemmo ancora molto, prendendoci in giro. Ci fu qualche battuta sui colleghi dell'ufficio. Fabri raccontò della sua fidanzata, in Italia. Marco la conosceva. Mi accorsi che quei due avevano tanta vita in comune e li invidiai. Dissi qualcosa della mia famiglia, di casa mia, ma non raccontai dell'incidente che aveva cambiato la mia vita. Sarebbe stato come mostrare a Marco le cicatrici che portavo impresse sul corpo. Per quello non ero pronta, avrei avuto l'occasione giusta più avanti. Fu un momento serio. Avevo appena servito la macedonia di fragole e anguria, insaporita con foglioline di menta.

«Vi volete molto bene, nella tua famiglia. Siete legati» disse Marco con una vena di nostalgia che non seppi interpretare.

«Sì. È una bella famiglia, la mia.»

«Io scoppio.» Fabrizio si massaggiava la pancia.

«Ma non è finita» annunciai mentre mi dirigevo di nuovo in cucina.

«Non tentarmi con altro, femmina. Non ce la possiamo fare.» Fabri si dondolava sulla sedia, la cinta slacciata, Marco fingeva di essere inorridito dalla prospettiva di dover mangiare ancora qualcosa.

«Un'ultima cosa. Ho fatto il mio speciale tiramisù con gli amaretti e la crema al mascarpone. Occhio che per voi ho escogitato qualcosa di nuovo.» Tirai fuori dal frigorifero tre vasetti di marmellata *Bonne Maman*, con il classico coperchio a quadrettini rossi e bianchi. Fabrizio e Marco si guardarono e scoppiarono a ridere.

«Mono-porzioni?» Fabrizio fingeva di essere disperato.

«Ne ho una teglia, nel frigo, se ne vuoi ancora.»

«La ricetta? Ti sei mica inventata qualcosa di strano?» Marco aveva quasi la bava alla bocca.

«Beh, è la mia ricetta personale, te l'ho detto. Ho alternato gli strati di amaretti imbevuti di caffè americano alla crema di mascarpone.» Feci la distribuzione dei barattoli. Avevo legato a ciascuno un bigliettino con i nostri nomi. Sul bigliettino di Marco avevo aggiunto un cuore. Continuavo a seminare i miei sassolini.

«Voglio morireee» modulò Marco.

«Anch'io» gli fece eco Fabrizio. «Però solo dopo averne mangiate almeno altre due porzioni.»

10
Forza Italia!

New York, giugno 2006.
Rividi Marco il giorno dopo, quando lo incrociai davanti all'ascensore, insieme ad altri colleghi. Dovetti trattenermi per non abbracciarlo, lui si limitò a gratificarmi con un sorriso, mi ringraziò ancora per l'ospitalità, si complimentò per le mie doti di cuoca e... imboccò il corridoio per sparire nel suo ufficio. Nelle ore che seguirono non mi cercò né ebbi occasione di incontrarlo alla macchina del caffè. Cominciai a temere che avesse ricominciato a evitarmi.

Forse avevo preso un abbaglio. Dopo la cena a casa mia ero convinta di avere attirato la sua attenzione; non pensavo di averlo conquistato, non ancora, tuttavia speravo che non mi avrebbe più considerato come la sorellina minore del gruppo. Forte delle mie convinzioni, la mattina ero uscita da casa baldanzosa e ora ero sopraffatta dalla delusione.

Ripassai i ricordi dei miei precedenti amori. L'elenco era corto e forse definirli storie era esagerato; piuttosto erano state simpatie, cotte, un interesse intenso tra due persone. Neanche così sentito, a dire la verità, almeno da parte mia. Sì, in Cile con Rodrigo, lo studente, c'era stata una fiammata, ma il fuoco era alimentato soprattutto dal corollario delle chiacchiere delle amiche, dai tanti discorsi che ci inventavamo su qualcosa che di sostanza aveva poco. Era l'idea, il sogno dell'amore, come lo inventavamo nella nostra testa. Le canzoni che lo cantavano, i film pieni di baci, i libri che lo raccontavano e i segreti che nascondevano le coppie più grandi di noi. Eravamo solo adolescenti innamorate del fascino dell'amore. Con i ragazzi italiani che avevo frequentato non aveva funzionato granché. Non mi piacevano abbastanza, quello era il motivo vero per cui perfino con Giacomo, un compagno di università siciliano con cui avevo imbastito una storia che era durata parecchi mesi, alla fine avevo mollato. Era stato un addio con pochi rimpianti e senza dolore. Giri pagina: ci pensi un po' su e poi vai a dormire e la mattina dopo è un altro giorno.

Mia madre rideva sempre quando di fronte a qualche problema, dopo averlo esaminato da tutti i lati e avere cercato invano una soluzione, decidevo di rimandare ogni decisione al giorno successivo. «Vado a dormire, mamma. Domani è un altro giorno.»

«La notte porta consiglio» rispondeva lei. «Buonanotte, Rossella.» Mi attribuiva lo spirito della protagonista di Via col vento, diceva che andava bene adottare la sua filosofia, pragmatica ed egoista, che sarei caduta sempre in piedi.

Nulla di ciò che avevo vissuto era paragonabile a quello che provavo per Marco. Cercai di fare silenzio dentro di me, ma la vita di New York lasciava poco spazio alla riflessione. Le mie giornate erano concitate, il lavoro mi assorbiva, faticavo a concentrarmi. Un paio di volte ero uscita con la compagnia degli stagisti, ma le altre serate erano state un appuntamento fisso con Marco, Fabrizio e, qualche volta, Simone.

I pensieri che avevo in mente somigliavano sempre più ai miei sogni ed erano concentrati su un unico soggetto, sempre lo stesso: Marco. Lui era il centro di tutte le mie emozioni, quel che c'era fuori, intorno, il lavoro, i colleghi, la scintillante Grande Mela, tutto era contorno. Restavo distante dalla realtà, dai fatti di cui altri erano protagonisti e perfino dagli avvenimenti che riguardavano il resto del mondo, belli o brutti che fossero.

Intanto erano iniziati i mondiali di calcio.

Il dodici giugno, un lunedì, organizzammo un'uscita extra in onore della prima partita che avrebbe disputato l'Italia contro il Ghana. Andammo tutti da Serafina, un ristorante italiano che metteva a disposizione dei clienti un maxi schermo. L'atmosfera era di moderata eccitazione, in parte perché tra noi c'era anche chi non era poi così appassionato di calcio e in parte perché la vittoria dell'Italia era data per scontata. Infatti, la partita terminò due a zero. Eravamo in parecchi e capitò che sedessi piuttosto distante da Marco e Fabrizio. Un po' guardavo la partita e facevo il tifo con gli altri, un po' mi concentravo su Marco. "Girati, guardami." Tentavo di usare la telepatia, senza sapere niente di questa pratica, di cui neppure ero convinta. "Marco, sono qui per te. Guardami. Mi senti, Marco?" Mi struggevo nello sforzo di agganciare i suoi pensieri ai miei, attraverso quel grande tavolo imbandito con un'accozzaglia di birre, acque minerali, piatti sporchi con residui di pizza e di spaghetti con le polpette. Per non dire delle persone che stavano scomposte e vocianti a fissare lo schermo dove scorrevano le immagini della partita.

Ricordo bene i due goal perché tutte e due le volte il flusso telepatico che avevo cercato di attivare si infranse contro l'onda d'urto delle urla esultanti degli italiani presenti nel locale. Una volta Marco si voltò nella mia direzione, verso la fine del primo tempo. Mi sorrise e io ricambiai, poi tornò a girarsi sulla sedia e rivolse la parola alla ragazza seduta al tavolo dietro il nostro. Parlottarono un po' e si misero anche a ridacchiare, sguaiati e complici. Ebbi la sgradevole sensazione che potessero farlo a mie spese. Di certo era un'invenzione della mia testa; non volevo accettare il disinteresse di Marco nei miei confronti. Non potevo continuare a umiliarmi così. Non mi sarei più messa in ridicolo neppure con me stessa.

Con lo stomaco contratto e le orecchie che rimbombavano, decisi: basta Marco e basta serate in compagnia. Invece, quando arrivai a casa, ed era già tardi, non andai a dormire. Mi misi a trafficare in cucina.

«Anna, cosa stai facendo?» Asena fece la sua apparizione con addosso solo la canotta e le mutande, i capelli che sembravano i fili di una scopa di saggina. Era arrabbiata.

«Scusa. Non volevo svegliarti. Ho fatto più piano che potevo.» Chiusi il forno e le rimandai un gran sorriso, sperando di rabbonirla.

«Fatto cosa?» Sbadigliò malamente.

«Biscotti all'arancia con semi di finocchio. Una ricetta di mia madre. Vuoi vedere?» Feci un passo di lato per lasciare libera la visuale dell'interno del forno.

Asena si stirò e allungò le braccia in alto arrivando a sfiorare la traversa dello stipite della porta. Era una ragazza dolce, ci voleva poco per placarla.

«Voglio dormire» mugugnò. «Se non riesci a conquistarlo con il cibo vuol dire che non sei la grande cuoca che credi.» Tornò verso la sua camera, strascicando le ciabatte.

Qualche ora dopo lasciavo sulla scrivania di Marco un pacchetto confezionato con un nastro fantasia in cui i colori che predominavano erano il bianco, il rosso e il verde. Il biglietto che l'accompagnava diceva che avevo cotto i biscotti per festeggiare la vittoria della nazionale. Apprezzarono in tanti, non solo Marco, come avevo sperato. Lui mi ringraziò, piuttosto asciutto. Alternavo la rabbia alle giustificazioni che gli concedevo perché doveva evitare chiacchiere in ufficio, ma anche fuori non è che mi riservasse un trattamento diverso.

Ci furono altre partite, il copione rimase lo stesso: cercavo di conquistare un posto vicino a Marco e, quando credevo di esserci riuscita, capitava sempre che qualcuno si intrufolasse tra noi.

«Cos'hai, Anna?» Fabrizio mi teneva d'occhio.

«Niente.»

«Lo so io cos'ha, Anna.» Simone mi faceva sentire a disagio. Dopo quell'unica volta che eravamo usciti insieme, lo avevo sempre evitato; lui non perdeva occasione per stuzzicarmi.

«Hai bisogno di qualcuno che ti strapazzi un po'. Non è vero, forse?» Mi prese il mento tra le dita.

«Lasciami in pace.» Mi tirai indietro di scatto. Provavo una specie di ribrezzo per quel ragazzo così bello.

«Ti piacerebbe, eh Simo. Ma lei non ha gusti così ordinari.» Fabrizio, scherzando, ma non troppo, era venuto in mia difesa; il mio angelo custode. Io spiavo Marco, ci separava solo qualche metro, eppure era irraggiungibile. Non si era accorto di niente, stava facendo lo scemo con Janina, una modella sudamericana. Smisi subito di osservarlo, indispettita. Sapevo che stava giocando al gatto con il topo. Aveva tirato su un muro tra noi, io cercavo di demolirlo, un pezzetto ogni giorno e lui lo rappezzava, con costanza e determinazione. Non avrei mollato.

Per Italia-Germania la compagnia si organizzò per tempo; la partita era così importante che noi italiani e qualche altro simpatizzante prendemmo alcune ore di permesso. Prenotammo un tavolo da Serafina, il locale era strapieno e la tensione altissima. Nonostante fossimo più di una ventina di persone, questa volta riuscii a sedermi accanto a Marco.

«Annina» intrecciò la sua mano nella mia e portò in alto le nostre braccia. «Sento che questa volta li freghiamo, i crucchi. Dai, che ci porti buono.» Il solo contatto delle nostre mani, la vicinanza, mi trasmisero un'iniezione di energia positiva. Ero eccitata, ma non come lo erano tutti, per via della semifinale; la partita che stavo giocando io era un'altra cosa. C'era un gran vociare, era quasi impossibile cogliere il senso delle conversazioni.

Di fronte a me Zoe cercava di dirmi qualcosa e accentuò il labiale: «Allora, ce l'hai fatta?» Accennò con la testa in direzione di Marco. «Te lo sei preso?» Chiuse il discorso con una strana smorfia, una boccaccia. Mi sentii arrossire e le lanciai un'occhiataccia.

«Hai caldo?» chiese Marco.

«Sì.» Annaspavo nel cercare la risposta. «Sembra di essere nella tintoria in cui vado di solito. Vivono avvolti nel vapore. Qui è lo stesso.»

«Hai ragione. Qualcosa non va nell'aria condizionata.» Infatti, anche altri si stavano lamentando, le donne avevano sfilato giacche e golfini, alcune smaniavano e si sventolavano con i tovaglioli. Un paio avevano tirato fuori i ventagli.

«Vado a chiedere.» Marco era già in piedi, diretto al bancone. Si stava allontanando da me per uno stupido guasto. Ecco, era di nuovo fuori della mia portata.

«Sono sudata. È terribile.» Janina aveva piantato i gomiti sul tavolo e si premeva con delicatezza un kleenex sulla fronte e sulle guance. Purtroppo restava comunque bellissima anche con la pelle leggermente traslucida che la rendeva ancora più sensuale.

«Oddio, ci mancava pure questa.» Zoe sembrava fresca come una rosa, forse l'unica lì dentro a non essere sudata.

«Ma no.» Cercavo di essere accomodante. «Non sono più di dieci minuti che si è fermato.»

«Con tutta questa gente... Guarda che facce hanno.» Zoe si mise a rovistare nella borsa. «Se non riparano subito il guasto torno in ufficio.»

«E la partita?»

«Non me ne frega niente. Del resto qui non vedo nessun Marco per me.» Sorrise mentre passava l'indice e il medio sulle labbra laccate di rosso.

Adesso tutti erano in agitazione per la temperatura. Mi pareva esagerassero, in Italia nessuno se la sarebbe presa tanto, tuttavia avevo imparato che a New York l'aria condizionata alla gradazione *gelo* era una religione.

Diverse persone si erano alzate, pur restando al loro tavolo, e allungavano il collo nel tentativo di cogliere una spiegazione e, soprattutto, una previsione sulla soluzione del problema. Il mormorio generale era ormai un movimento di protesta. Io restai seduta, fradicia, un rivolo d'acqua mi scorreva tra i seni, sentivo i capelli sulla nuca bagnati. Mi girava la testa. Sapevo di avere dipinto in faccia un sorriso accennato di circostanza, adatto a un disagio non grave, ma evidente. Certo che non era il caldo a farmi stare male, ma la perdita della speranza che ogni tanto mi assaliva. Disperavo di farcela, con Marco. A tratti stentavo a contenere l'ossessione per quell'amore, non capivo che avrei dovuto essere clemente con me stessa e concedermi tutte le attenuanti di una ragazzina al primo vero amore.

Ero persa, persa. PERSA.

«Un minuto ancora e tutto andrà a posto» annunciò la voce tonante di un cameriere.

«Tranquilli.» Marco era tornato a sedersi al mio fianco. «Tutto sistemato. Era solo...» La temperatura nel locale stava già calando, ci furono urletti di soddisfazione. Di lì a qualche minuto il clima era simile a quello dello scomparto della verdura in frigorifero. L'incidente fu dimenticato. Superato appena in tempo, sul filo dell'orario previsto per l'inizio della partita.

«Ecco, comincia» disse qualcuno e una serie di brusii, qualche urlo sguaiato e perfino una tromba aumentarono la confusione. I giocatori erano entrati in campo. Fabrizio era in piedi, guardava lo schermo e lanciava occhiate truci tutt'intorno. Ci osservava dall'alto in basso con l'aria di un capopopolo, come se la nazionale fosse stata una cosa solo sua.

«Guarda che roba. Vedi come sono tesi?» Zoe ammiccò in direzione degli uomini, con quell'aria di superiorità che era solo sua. Io la adoravo per questo, gli altri la trovavano antipatica. Il suo vantaggio, quello per cui parecchi la detestavano, era la classe innata che la distingueva in qualunque situazione. Non somigliava a nessun altro, non ne aveva bisogno.

«L'inno, l'inno...» La parola *inno* si sparse come una cantilena in tutto l'ambiente. Quando i giocatori attaccarono a cantare, molti si unirono al coro, all'inizio a mezza voce per poi salire. Gli occhi erano lucidi, alcuni perfino umidi; a qualcuno degli italiani tremava un po' il mento. Era uno di quei momenti in cui si mettono da parte malumori e rivalità, gelosie, antipatie, diffidenze e si è tutti fratelli, anche tra sconosciuti, tutti immersi in un lago di nostalgia in cui a pelo d'acqua affiorano le immagini sfocate della mamma, della pizza e dello stadio della propria città.

Marco mi strinse la mano, senza guardarmi. Era concentrato nel canto. Quando sfumarono le ultime note sciolse la stretta e mi accorsi che stava facendo lo stesso con Janina. Aveva tenuto la mano anche a lei. E io che pensavo non di essere arrivata al traguardo, ma di avere segnato almeno un punto. Un goal che invece era già stato annullato.

Ero stanca. Un momento stavo bene, come in paradiso, il momento dopo ero sfatta. Era un'altalena che non avrei potuto sopportare ancora a lungo.

Iniziò la partita, io fingevo di seguire le mosse dei giocatori mentre, impermeabile alla confusione, riflettevo: "Cos'è questa cosa che mi spinge verso un uomo che in fondo non conosco. Io sono sempre stata razionale. Se l'amore non mi dà alcun sollievo, allora è meglio rinunciare".

I pensieri andavano e venivano, a ondate.

Gli altri seguivano le azioni di gioco, solidali nel corpo e nello spirito. Con il *cuore gonfio d'orgoglio*, per citare gli autori di certe cronache uguali in tutte le occasioni. Insomma, siamo tutti buoni italiani, così come lo sono i nativi delle altre nazioni, e apparteniamo a un grande Paese che, se la squadra vincerà, per qualche giorno sarà unito su ogni argomento.

Marco si girò di nuovo verso di me, io abbozzai un sorriso che si trasformò in un'orribile smorfia.

«Sai, Anna, ho la sensazione che questa sia la partita più importante di tutta la mia vita.» Allungò una mano per spostare i capelli che mi coprivano gli occhi. Li avevo portati in avanti io, per nascondermi, ma lui non poteva saperlo. Comunque disse proprio così: "La partita più importante". Ci fissammo per un istante, poi l'attenzione fu catturata da un fuorigioco. Come gli altri, aderivo alle urla di incitamento o ingrossavo gli ohhh di disappunto quando un'azione andava male, eppure non ero lì; rimuginavo sulla sua frase e sul tono che aveva usato. Rimasi imbambolata per tutto il secondo tempo.

Quando iniziarono i supplementari, al gol di Grosso venne giù il locale. Il frastuono, le urla, mi colpirono come un cazzotto. In un angolo c'era un tavolo con cinque o sei tedeschi. Ammutoliti, le facce grigie, le mascelle contratte. Nei minuti finali accadde di tutto, Grosso e Del Piero fecero il miracolo e ci portarono dentro una bolgia gioiosa.

Marco mi abbracciò stretta. Non fu un abbraccio tra tifosi, forse all'inizio sì, poi qualcosa si sciolse tra noi. Lui mi allontanò, di poco, poi si riavvicinò e mi diede un bacio. Uno vero, che spazzò via i dubbi della ragione.

Tutto intorno era il caos. Subito dopo uscimmo in strada per andare a Little Italy. Ci tenevamo per mano poi, nel mezzo dei festeggiamenti, la nostra stretta fu costretta a sfilacciarsi. La massa dei tifosi si frappose tra noi, le dita scivolarono dentro un intreccio troppo lungo, mancò la presa e nella mano dell'uno restò per un momento solo la forma di quella dell'altro.

All'imbocco della strada persi di vista Marco, inghiottito dal carosello di gente impazzita con dipinti in faccia i colori della bandiera italiana. In tantissimi indossavano la maglia degli azzurri e scandivano in continuazione I-ta-lia, I-ta-lia, agitando le braccia al cielo. Gli altoparlanti sparavano canzoni che si sovrapponevano in un'accozzaglia di suoni e prevaleva ora l'una ora l'altra, a seconda dell'acustica dell'angolo di ascolto. In generale, le note si accavallavano in una fantasia musicale in cui prevaleva il Poo-Po-Po-Po-Po-Poooo-Poo, Poo-Po-Po-Po-Po-Poooo-Poo, tormentone dei mondiali per la nostra Italia.[3]

Ripresi Marco più avanti, o almeno credevo di stare per raggiungerlo. Notai il suo sguardo: guardava me in mezzo a tutti, ma era sospinto in avanti. Scomparve di nuovo tra la folla, insieme agli altri della nostra compagnia. Ero felice lo stesso, mi aveva baciato. Un bacio intenso che aveva avuto un grande significato.

Un inizio. Sì, adesso la nostra storia era cominciata.

Più avanti, vidi affiorare la testa di Fabrizio nella calca esagerata dei tifosi. Alzò il braccio, gridando qualcosa. Non riuscivo a sentirlo, il frastuono era quello di una cascata, ma amplificato. A un certo punto capii che Fabri indicava qualcuno o qualcosa alle mie spalle. Sparì anche lui nel torrente umano lasciandomi con il segno di pollice e indice uniti: ok. Sola in quella confusione gioiosa, non riuscivo a sentirmi del tutto tranquilla, anche se era giorno. Mi girai e vidi Simone a qualche metro da me. In un attimo fu alle mie spalle.

«Fabrizio ti aveva visto.» Ero sollevata da quell'incontro.

«Sì» gridò. «Sei così raggiante per la nazionale? Non ti facevo una grande tifosa.» Mi prese per un braccio e cercò di guidarmi a lato della strada, verso il marciapiede, ai margini del cuore della festa. Mi resi conto che la mia felicità doveva essere tanto evidente quanto sfacciata. «Cavoli, ha vinto l'Italia. Dici poco?» mentii malamente. Ero tanto contenta per il bacio di Marco da sentirmi commossa.

Simone non ci fece caso. «Sììì» gridò. «Oggi è il nostro giorno. Il giorno dell'Italiaaa.» Non lo diceva a me, lo cantava al mondo e in quel momento tutti lì, cantavamo la stessa canzone. Lui aveva un'aria beata, da ragazzino. Finimmo inglobati in una pattuglia di gente che aveva improvvisato una specie di tarantella. Lo spazio era poco, eppure erano riusciti a organizzarsi in tre coppie, si tenevano sotto braccio, stando in posizione inversa l'uno rispetto all'altro. Chissà da dove, qualcuno aveva tirato fuori nacchere e tamburelli e le coppie, ballando avanti e indietro, ruotavano, scambiandosi tra loro.

Simone mi prese il braccio e ci infilammo nella pista improvvisata. In qualche modo ci unimmo ai ballerini, traballando più che danzando. Del resto non conoscevo neppure i passi e anche il mio cavaliere era piuttosto maldestro, ma andava bene così. L'entusiasmo per la vittoria dell'Italia sovrastava qualsiasi ragionamento. Era felicità pura, unita a una sensazione di potenza, la stessa che si prova nel momento in cui si inizia a cavalcare l'onda con il surf.

«Vieni.» Adesso Simone mi tirava in un'altra direzione. «Dobbiamo festeggiare come si deve.»

«Cosa stiamo facendo, secondo te?» Ridevo, mi sentivo leggera e non avvertivo i colpi inferti da gomiti e ginocchia, fianchi e teste che non potevo evitare, tagliando la folla dietro Simone. Per fortuna avevo la borsa infilata a tracolla e tenevo una mano ben salda sulla chiusura.

«Vieni» ripeté Simone. «Prendiamo fiato.» Si era infilato contro la vetrata di un ristorante ombreggiata da grandi tendoni bianchi, rossi e verdi. Eravamo circondati dalla folla, ma uno sguincio nel muro ci concedeva una specie di tregua dall'esaltazione scatenata e inarrestabile dei nostri compaesani.

«Sei proprio un bel bocconcino, Anna. Lo sai?» La sua voce, roca e un po' impastata mi indusse a scivolare di lato per sfuggirgli, invano. Adesso Simone mi teneva premuta contro il vetro che custodiva un repertorio di pizze improbabili. Il suo sguardo era cambiato, la sua faccia troppo vicina, l'odore del fumo era mischiato a quello dell'alcol. Riconobbi la stessa espressione da lupo famelico che avevo intravisto per un istante, la sera del nostro appuntamento sul ponte.

Ero infastidita, ma non mi sentivo in pericolo, in mezzo a tanta gente. Mi limitai a redarguirlo: «Lascia perdere». Cercai di divincolarmi e lui mi afferrò un braccio, storcendolo dietro la mia schiena.

«Non fare lo scemo. Siamo qui per festeggiare.» Mi guardai intorno: nessuno badava a noi.

«Sì, carina. Siamo qui proprio per festeggiare.» La sua faccia era diventata dura, teneva la mascella serrata, gli occhi socchiusi. Aveva tirato indietro la testa. Pensai che volesse prendermi le misure, valutare le possibilità che poteva concedersi nel fare il cretino con me. Però aveva bevuto, forse era anche fatto di cocaina. Non ero ancora davvero preoccupata, ero certa di poter gestire la situazione. Almeno per il momento.

«Smettila, Simone. Piantala. Tu non sei così. Sei sbronzo. Adesso basta.» Avevo usato un tono sicuro, parlavo forte per sovrastare il rumore della folla, della musica per i festeggiamenti, tuttavia non stavo ancora gridando.

«Vieni, troviamo un posto e... Ti faccio provare qualcosa che ti farà venire voglia di...» Mi aveva afferrato un braccio e mi tirava oltre il perimetro della vetrina mentre con l'altra mano mi carezzava il collo e le sue dita arrivavano fino all'inizio del seno. Cercai di divincolare il polso dalla sua stretta senza riuscirci. D'improvviso persi il controllo, la rabbia aveva aumentato la mia forza. «Idiota!» gridai con quanto fiato avevo in gola. Qualcuno intorno a noi si rese conto che non stavamo celebrando la vittoria dell'Italia. Un gruppetto di tre ragazzi ci guardava con aria perplessa. Uno di loro, tarchiato, sopracciglia spesse, si mise al mio fianco, senza dire niente. Lessi nei suoi occhi la determinazione di un salvatore.

«Lasciami perdere. Molla il polso» urlai di nuovo, questa volta rivolta al ragazzo. Non lo avrei mai sperato, però Simone cambiò espressione e assunse un'aria stupita, poi mi lasciò andare. Mi girai e entrai nell'abbraccio della folla, senza voltarmi.

Presi la metro e riemersi nel mio quartiere, dove le manifestazioni gioiose per il successo dell'Italia non avevano ragione d'essere. Percorsi il tratto di strada che mi separava da casa a passi prima lenti, poi affrettati; di tanto in tanto mi lanciavo in qualche saltello e tentai perfino un galoppo laterale, lo stesso movimento che fanno i bambini quando giocano in compagnia.

Alternavo ondate di rabbia e disgusto a momenti di esaltazione. Questi ultimi prevalevano di gran lunga, grazie al riverbero del bacio di Marco. L'applauso che mi tributò un gruppo di ragazzini riuniti davanti alla libreria mi riportò al presente.

Il giorno dopo andai in ufficio quasi volando. Uscii dall'ascensore e intravidi Marco in fondo al corridoio. Era in forma, l'aria riposata, eppure immaginavo che avesse fatto le ore piccole festeggiando la vittoria dell'Italia. Io avevo un abito nuovo, bianco con le spalline strette; sopra indossavo una giacchina di lino color pesca. Ero emozionata, dovevo controllarmi per sembrare calma, calata nell'abituale rapporto amicale tra colleghi. Aspettavo di intercettare un suo sguardo d'intesa, una frase lasciata in sospeso, a mezz'aria, che solo io avrei potuto interpretare. Ebbi, invece, il solito sorriso di rappresentanza che fece saltare tutte le mie certezze e mi rovinò l'umore. Continuavo a ripetermi che Marco si comportava così per evitare chiacchiere in ufficio, tuttavia non c'era alcuna scusa per una tale manifestazione di indifferenza. Colsi il suo sguardo di traverso mentre stava sorridendo a una stagista appena arrivata e mi diressi nella sua direzione decisa a ostentare distacco. Mi accorsi subito che lui era rapito da ben altro.

«Che giornata.» Marco agitava le mani, eccitato. «È stata davvero la partita più bella della mia vita. Chissà in Italia! Avrei proprio voluto essere là, al mio Paese. Vederla con i miei amici...» Sognava a occhi aperti, gesticolava rischiando di rovesciare il bicchiere d'acqua che teneva in mano. Era in preda a un attacco di malinconia gioiosa.

"Cretino, ti ricordi che mi hai baciato?" pensai. Ero ancora piena di attese per un amore nascente, mi ritrovavo scombussolata e con il cuore a pezzi perché il nostro primo bacio contava meno di due goal.

Marco continuava a rifare la cronaca della partita, sbracciandosi e mimando le azioni dei giocatori. La storia era diventata un racconto collettivo, visto che si erano uniti a noi altri colleghi. Tutti maschi impegnati in uno dei loro riti preferiti: riprodurre la cronaca della partita del secolo. Desideravo fare del male a Marco, o almeno rovinargli la festa. «Però mi hai mollata nel mezzo della bolgia e non ti sei neanche preoccupato di quel che mi poteva capitare» gli sussurrai all'orecchio, acida. Interruppe subito il suo monologo e si spostò verso di me, lasciando il gruppo.

«Perché? Ti è successo qualcosa?»

«Sì.» Ero stizzita. Ci eravamo trasferiti in un corridoio laterale per lasciare il passo ad altri, in arrivo per la pausa caffè.

«Racconta.» Adesso avevo tutta la sua attenzione. Presi tempo. Mi addolcì la ruga che gli era comparsa sulla fronte. Per me.

«Simone. Dopo che ci siamo persi di vista nella bolgia, è arrivato lui.»

«E allora?»

«Niente. Sai com'è Simone quando ci si mette.» Ero impacciata. Avevo abbassato la voce e Marco si era fatto più vicino. «Mi ha dato fastidio» buttai fuori il rospo e mi sentii meglio.

«Cosa è successo? Cosa ti ha fatto?» Lui era sbiancato e io godevo.

«Non è successo niente. Mi ha dato fastidio. Ha esagerato.» Non mi andava di raccontargli i dettagli. «Non mi piace, Simone» conclusi.

«Voglio che mi racconti tutto.» Marco guardò l'orologio: «Adesso devo andare. Ne riparliamo più tardi, dopo il lavoro.» La sua bella faccia si allargò in un sorriso che era una carezza. Mi sfiorò la mano, con intenzione, e scivolò lungo il corridoio, verso il suo ufficio.

11

LA VENDETTA

Ero furibondo, ma non volevo che Anna se ne accorgesse. Io l'avevo persa nel fiume della folla, avevo permesso che rimanesse indietro, scivolasse via, mentre annaspavo per inseguire Janina.

Che stronzo era stato Simone.

Che stronzo ero stato io.

Simone non mi era mai piaciuto. Uno che si godeva il mito di New York grazie ai soldi di papà. E li mandava in fumo. Che avesse vizi costosi era noto a tutti. Oddio. E se oltre che fare il cretino avesse cercato di...

Mi ricordavo bene il bacio tra me e Anna, la sera prima. Era nato come uno di quei baci che si danno in un momento di allegria, ma era stato un'altra cosa.

Lei ci aveva messo il cuore e a me era piaciuto.

Appena tornato in ufficio controllai l'agenda di Rosario, era fitta di appuntamenti fuori sede. Dunque avrei trascorso il pomeriggio da solo. "Bene" pensai. "Devo riflettere su come gestire la cosa con Simone e anche con Anna."

Tra noi non poteva esserci niente. Per quanto mi riguardava, l'inizio di qualsiasi tipo di relazione con una stagista era escluso. Lei avrebbe dovuto farsene una ragione. Eppure, proprio lì, seduto alla scrivania davanti al computer acceso, alla fine fui costretto a confessare a me stesso che la veneziana mi interessava.

Accidenti. Non c'erano le condizioni.

Niente da fare. Misi un bello stop.

Una balla colossale che mi raccontavo in perfetta malafede. Quella lì, la ragazzina del tiramisù, con la faccia pulita, la pelle che profumava di casa, si era conficcata nella mia testa come un chiodo. Non riuscivo più a pensare in modo razionale. A dirla tutta mi sentivo confuso, a disagio, infastidito.

Dovevo rilassarmi e gestire la situazione. O meglio, accantonare la ragazza, che poi non sarebbe mica restata qui per sempre. Del resto avevo in programma di tornare in Italia per una decina di giorni per il matrimonio del mio fratellone. Sarei partito a breve e cambiare aria mi avrebbe fatto bene.

Però la storia con Simone andava chiarita.

Erano quasi le sette quando andai a sbirciare nell'ufficio di Anna. Le postazioni vicine alla sua erano deserte. Lei si stava mettendo il rossetto, un segno cremisi sul volto pallido, riflesso di sbieco nel monitor del computer, spento.

«Vieni. Andiamo a bere qualcosa insieme e mi racconti cosa è successo con Simone.»

Anna si era girata di scatto, imbarazzata, aveva scrollato le spalle e piegato la testa. Infine mi aveva sorriso. Ricordo bene la sequenza dei suoi movimenti. Non c'era alcun intento di seduzione, lei era confusa e allo stesso tempo contenta e proprio per questo era ancora più attraente.

«Fantastico. L'atto di mettere il rossetto è molto privato. Non lo sai?»

«No, visto che lo fai qui, invece che nel bagno delle donne.» Avevamo riso insieme.

Ci avviammo fianco a fianco lungo il corridoio, verso gli ascensori. C'era qualcosa che non andava, dipendeva da me.

Ero impacciato perché mi trovavo troppo a mio agio con Anna. Non riuscivo a essere indifferente nei suoi confronti anche se cercavo di non pensare a lei. Forse era troppo tardi e dovevo rassegnarmi al fatto che fossi ormai preso nella rete di una cotta fuori dell'ordinario. Proprio la situazione che volevo evitare a tutti i costi.

Rimasi silenzioso mentre la cabina ci portava giù e anche lei non aprì bocca. Attraversammo l'atrio senza neppure scambiare uno sguardo.

«Dove andiamo?» disse Anna, sporgendosi oltre il portone. Adesso esitava.

«Andiamo al 230. Te lo ricordi? Ci siamo andati per il party di mezza estate di Valentino. Non è tanto lontano.» La presi sottobraccio e scivolammo in mezzo alla folla.

«Va bene.» Adesso sorrideva, rilassata. «Andiamo a piedi, così *ciacoliamo* un po'.» Invece rimase silenziosa per quasi tutto il percorso. Ogni tanto mi lanciava un'occhiata, forse voleva dirmi qualcosa. Io mi ero limitato a qualche battuta su quel che c'era intorno. Preferivo aspettare di essere seduto al bar per ascoltare il suo racconto.

Scegliemmo un tavolino appartato, dove il rumore di fondo prodotto dagli altri avventori giungeva attutito e per fortuna, perché continuava ad arrivare sempre più gente. Lei cominciò a raccontarmi qualcosa a proposito dell'ufficio, io annuivo senza ascoltarla. Mi piaceva osservarla mentre si muoveva, le mani che partecipavano al filo del racconto, gli occhi e la bocca che interpretavano il contenuto del discorso. Mi resi conto che, nonostante i miei buoni propositi, stavo ammirando la piccola veneziana in modo diverso da come guardavo le donne che mi attraevano. Lei mi piaceva tutta, dentro e fuori. Era una specie di calamita.

«Sembri fresca come una rosa. Come fai?» le chiesi.

«Lo so. È sempre stato così. Nessuno si accorge neppure se gli muoio davanti. Un dono di natura, credo.» Adesso era di nuovo nervosa. Giocava con il tovagliolo di carta, l'aveva piegato e ripiegato tante volte da ridurlo un francobollo. Ordinammo del caffè freddo e dell'acqua con ghiaccio «Io, invece, sto a quattro di spade.»

«Cosa vuol dire?» Notai che i suoi occhi scuri diventavano ancora più grandi quando interrogava qualcuno.

«Un modo di dire delle mie parti. Sono steso, sfinito.»

«Mi spiace» disse, con una punta di rammarico. «Senti, non è così importante quel che è successo con Simone. Non vale la pena...»

«No.» Alzai la mano in modo perentorio. «Dobbiamo parlarne, eccome. Ho solo bisogno di bere qualcosa. Non preoccuparti.» Feci cenno al cameriere e ordinai un Margarita. Anna non prese niente.

«Allora, dimmi» la sollecitai.

«Non so...» Esitava, impacciata. Era arrossita. Dopo una lunga pausa riprese a parlare: «Sai che una sera sono uscita con Simone? Una sola volta mi è bastata. Tra l'altro ho scoperto che... No, questo non c'entra, ma è una cosa che mi ha dato fastidio.» Di nuovo era a disagio e forse per questo si era rintanata nella sedia. Sembrava più fragile.

«Lo sappiamo tutti che tira di coca alla grande» dissi per allentare la tensione. «Qualche volta ne abbiamo anche parlato con lui. È andato fuori misura, si è fatto prendere la mano. È un cretino.»

«Ecco, non sapevo che tu...» Era sollevata di non avere rivelato nulla di nuovo.

«Lascia perdere. Dimmi cosa è successo.»

«Non vale la pena. È stata una stupidaggine. Non dovevo dirti niente. In effetti non è successo niente.»

«Aspetta un momento, Simone ti ha dato fastidio, sì o no?»

«Non voglio farla tanto lunga.» Infilò due dita nel bicchiere, prese un cubetto di ghiaccio e cominciò a passarlo sulle labbra. Non si rendeva conto di quel che faceva.

«Io voglio sapere. Lo hai incontrato per caso? Oppure hai avuto l'impressione che ti fosse venuto dietro apposta?»

«No, non credo. Penso che si sia ritrovato vicino a me così... Sai, in quel macello... mica era facile seguire qualcuno.»

«E poi?»

«Niente. Io ho cercato di seguire te e ti ho perso. Mi sono trovata vicino Simone. Abbiamo fatto festa come tutti. Abbiamo ballato la tarantella in mezzo alla strada e fino a lì è stato divertente.» A quel punto Anna smise di parlare e concentrò l'attenzione sui nostri vicini di tavolo, due ragazzi e una ragazza che parevano usciti da una pubblicità di Dolce&Gabbana. Non mi feci distrarre e la riportai al nostro presente.

«Scommetto che adesso viene la parte più interessante. Vero, Anna?»

«Simone mi ha fatto un po' di complimenti. Mi sono accorta che era bevuto. Io odio sentirmi dare del *bel bocconcino*. Ci siamo fermati a lato della strada e mi ha preso per un polso. Non mi lasciava andare.» Aveva concluso in fretta.

«E poi cosa è successo?»

Mi guardò come se fossi stupido: «È successo che ha mollato la presa e io me ne sono andata. Tutto qui. Hai visto che non è granché? Ho fatto male a parlartene. Scusa. Non dire niente a Simone. Tanto non avrà più modo di darmi fastidio.»

«Questo è certo!» Le presi la mano e gliela strinsi. Avrei voluto continuare la serata con lei, invece la salutai e me ne andai. Non vedevo l'ora di sistemare la questione.

***

Con Simone era finita male. Gli avevo mandato un messaggio con una scusa, per dirgli di passare da me. Di sicuro lui aveva capito subito dove intendessi andare a parare. Ero tornato a casa da poco, quando avevo sentito lo scatto della maniglia.

«Eccomi.» Simone era entrato senza bussare e aveva richiuso la porta alle sue spalle. Indossava un sorriso da sfottò, jeans bucati e una maglietta grigia con la scritta in italiano "Sono un cocco di mamma". Io non dissi niente.

«Eccomi» ripeté, con la voce rauca che gli veniva sempre appena aveva tirato. «Scommetti che indovino perché vuoi parlarmi?» Si accomodò su una sedia e tirò fuori le sigarette.

«Vuol dire che hai la coscienza sporca.» Avevo voglia si spaccargli la faccia, ma decisi di contenere la mia rabbia. Avrei provato a chiedergli una spiegazione, mi costrinsi a fargli un discorso pacato e deciso. Non avrebbe più dovuto avvicinare Anna. Per nessun motivo.

«La troietta, fa la smorfiosa» disse lui. «Spero che almeno a te la dia.» Lo stronzo cominciò a ridere, sguaiato, il mio pugno lo prese in pieno sulla mascella e strisciò verso la fronte. Non se lo aspettava, segno che non mi conosceva per niente. Barcollando arretrò andando a sbattere contro il cassettone, rimase lì qualche secondo inebetito. Il sangue gli usciva dal naso e dal labbro, pensai che fosse tutto finito, invece lui caricò a testa bassa. Mi spostai, ma non riuscii a evitarlo del tutto, il tavolo bloccava la mia via di fuga; la testata mi centrò sul petto, persi l'equilibrio e caddi a terra. Simone adesso era di nuovo dritto sulle gambe, la faccia impiastricciata, si preparava a darmi un calcio nel fianco. D'istinto allungai il piede e lo colpii all'inguine, lui si piegò in due rantolando, il suo sangue mi gocciolava sulla camicia. Mi alzai in fretta, lo scontro era finito. «Non ci provare mai più, hai capito? Lascia stare Anna.» Lui ansimava mentre si tamponava con la mano. Lo spintonai verso la porta, gobbo come stava.

«Tieniti la tua Anna. Ti ha incastrato, eh. Sei cotto. Cazzo, mi si sta gonfiando il naso, stronzo!» Simone si guardava attorno cercando qualcosa. Forse sperava che mi muovessi a pietà e gli fornissi del ghiaccio. Per tutta risposta gli assestai un ultimo manrovescio e spalancai la porta. Lui finì addosso a Pepita.

«Ay, Dios mío. Qué pasa niños?» gridò lei. Richiusi con violenza il battente senza dire una parola. Non volevo vedere più nessuno, avevo bisogno di calmarmi.

Forse con Simone avevo esagerato? No. La lezione gli andava data. Aveva mancato di rispetto ad Anna.

Anna.

Impossibile ignorarla, rispuntava sempre fuori: era davanti alla macchinetta del caffè in ufficio, oppure attraversava il corridoio e mi arrivava la sua voce e ancora si infilava al volo nell'ascensore, dov'ero io, un istante prima che si chiudessero le porte. La sera, quando uscivamo in compagnia e andavamo per locali, mi seguiva con lo sguardo. Osservava ogni mia mossa perfino quando non guardava, lo sentivo. E quando non c'era, ogni tanto si intrufolava nella mia testa.

Che deficiente, Simone. Adesso avrebbe lasciato in pace Anna. Iniziai a spogliarmi, avevo bisogno di una doccia. L'acqua calda mi scorreva addosso, tirai indietro la testa per prendere meglio il getto dritto in faccia. Un'abitudine che avevo fino da bambino. Di lì a qualche giorno sarei tornato a casa per il matrimonio di Matteo.

Casa era Fano, il paese adagiato sulla costa, la villetta a due piani con il piccolo giardino che una volta mi pareva enorme. Il garage dove prima avevo tenuto la bicicletta, una Bianchi, e dove ancora conservavo la mia Vespa verde menta, un modello originale del '62, acquistata da un amico. Dal garage si accedeva anche alla lavanderia. Ogni volta che tornavo mi sembrava di rivedere mamma piegata a lavare i panni quando io, terminati i compiti, correvo giù: «Mamma, ho finito. Prendo la bici, vado al campetto». Lei si girava sorridente e si limitava a farmi cenno con la testa che potevo andare. Non smetteva di fregare i panni con la spazzola dura neanche per un momento.

Poi un giorno, era uscita per fare la spesa e non era più tornata a casa. Investita da un camion, uno simile a quello che guidava mio padre.

Per anni non erano entrate altre donne in casa nostra, fino a che non era arrivata Sofia, la fidanzata di Matteo.

E adesso mio fratello se la sposava.

Ero contento per lui. Per noi. Sofia mi piaceva. La seconda donna nella nostra famiglia di soli uomini. Era comparsa un giorno, senza alcun preavviso. La prima cosa che avevo conosciuto di lei era stata la sua voce.

«Permesso? Posso entrare?» Aveva aperto la porta che, sempre dal garage, portava alla scala e alla cucina. Bionda con gli occhi grandi e un sorriso impacciato. Io allora ero un ragazzino, forse non avevo ancora diciotto anni; all'inizio mi ero sentito intimidito, ma dopo un primo scambio di battute, tra noi era nata una simpatia genuina. Da allora lei era diventata il mio punto di riferimento, la mia amica, discreta e sempre presente. Anche la mia confidente e consigliera.

Girai il rubinetto e l'acqua da calda divenne gelata. Spensi subito, rabbrividendo. Per un momento all'immagine di Sofia si sovrappose quella di Anna. Dovevo schiarirmi le idee. Infilai l'accappatoio e con il palmo della mano cancellai il vapore dallo specchio. La colluttazione con Simone non aveva lasciato alcun segno sulla mia faccia. Del resto era lui ad avere avuto la peggio. Sarei uscito a fare due passi, da solo, tanto per distrarmi e far sbollire del tutto la rabbia.

12
SULLE MONTAGNE RUSSE

Una stretta di mano, tenerezze da fratello. Avevamo passato quasi due ore soli, a chiacchierare seduti a un tavolino e, una volta usciti, Marco mi aveva congedato con un bacio sulla guancia.

Avevo provato una rabbia tremenda che era sbollita durante il viaggio di ritorno in metro. Forse pensava che l'avrei aspettato ancora per tanto? Poi era subentrata una tristezza acutissima, un dolore al centro del petto e con quello mi ero trascinata fin dentro casa. Per fortuna Asena era fuori; avevo bisogno di restare sola per un po'.

Marco era importante, era l'amore. Forse, forse c'era un destino comune per noi. Ma lui non cedeva, si ostinava a tenermi a distanza.

«Allora lasciami in pace» sibilai davanti allo specchio del bagno mentre aspergevo polsi e tempie con l'acqua fredda. Da quando l'avevo conosciuto, i miei pensieri non erano più lucidi, la mia testa era confusa, avvolta in garze troppo strette che non permettevano ai pensieri di espandersi, di stirarsi in altre direzioni. La mia mente era un imbuto che convergeva su Marco, nei miei sogni mi infilavo in tunnel scuri e paurosi e in fondo c'era sempre lui, Marco, il mio luminoso salvatore.

Nella realtà, le rare occasioni in cui vedevo aprirsi qualche squarcio di intimità tra noi non bilanciavano i periodi di sconforto. Quasi mi stavo abituando ai momenti negativi mentre la felicità... quella era diventata un concetto astratto, un traguardo che forse avrei dovuto accantonare.

Più tardi avevo cercato di parlarne con Asena, ma lei era distratta. Aveva passato tutto il giorno in giro per negozi, presa dai preparativi del matrimonio. Avevo bisogno di confidarmi con qualcuno di fidato e decisi di chiamare Beatrice, in Italia.

«Beh, cosa pretendi. Mi dici che è bello, intelligente e in carriera. Avrà altri obiettivi.» La risposta di Bea era stata acidissima.

«Ma io gli piaccio. Sono sicura.»

«Cara mia, ti stai facendo un film. Ritorna sul pianeta Terra.»

«Ma io sono sicura...» Seduta sul letto a gambe incrociate torturavo il bordo delle lenzuola.

«Come quella volta in Cile, con quel ragazzo, quello con quel nome assurdo, Rodrigo? Anna, dammi retta. Non ci pensare.» Non capivo perché Bea fosse così negativa e soprattutto perché usasse un tono di voce tagliente. Forse provava gusto a farmi stare male? Iniziai a tirare su con il naso, mi veniva da piangere, anzi, le lacrime erano arrivate a scorrere giù per il collo e stavano bagnando lo scollo della camicia che indossavo. Iniziai a spogliarmi mentre ascoltavo.

«Del resto, vedila da un altro punto di vista. A quanto racconti lui forse resterà lì. Giusto?» proseguì Bea.

«Ha un'ottima posizione. È in gamba ed è destinato a fare carriera. Non credo proprio che tornerà in Italia.» Mi ripresi e cominciai ad asciugarmi la faccia con il bordo della maglietta.

«Appunto. Tu vieni dalla campagna veneta. Non c'entri niente. Lui è di un altro pianeta. Noi non ce la possiamo fare con gente così. Quello lì non è il nostro ambiente.» Sentii un respiro simile a un risucchio. Immaginai che stesse fumando in quel suo modo teatrale, per cui tra amiche la prendevamo sempre in giro.

«Ti sbagli. Qui siamo tutti uguali. Io mi trovo bene a New York.» Mi ero alzata, camminavo avanti e indietro nei pochi metri che avevo a disposizione. Mi accorsi che stavo litigando con Bea. Perché doveva sempre sminuire ogni cosa che facevo? Era invidiosa e voleva umiliarmi.

«Adesso vado a dormire. Qui è notte» conclusi in fretta, sgarbata. Non aveva il diritto di deprimermi.

«Non ci pensare più a lui. Non è cosa per noi» recitò mentre io cercavo una battuta per calare la cornetta. Lei aveva il potere di smontarmi, di minare la mia autostima e di conseguenza la mia sicurezza. Diceva sempre "noi", invece io ero Anna e stavo lavorando a New York. Lei, Bea, stava sprofondata in un paesone anonimo a sognare un uomo da sposare e che la tenesse a casa da un lavoro da impiegata che non le piaceva. Che andasse all'inferno.

«Ciao. E non farti illusione, sciocchina. A noi certe cose non capitano, lo sai.» Invece, non lo sapevo e non era detto. In quel momento fui tentata di chiudere per sempre con la mia amica del cuore. A lei non dissi niente. Riattaccai e basta. Il percorso per raggiungere la felicità era difficile e scomodo. Io sarei arrivata lontano.

Io non ero Bea, ero Anna.

Il giorno dopo all'ora di pranzo stavo uscendo dall'ufficio quando Fabrizio mi aveva raggiunta di corsa. «Anna, aspetta. Sai cosa è successo tra Marco e Simone?» aveva domandato a bruciapelo. «Non fare finta di niente. Ieri sera hanno litigato come matti. Me lo ha detto Pepita, poveretta. Si è spaventata da morire.»

«Non so niente di questa storia...» Ero ancora più stupita di lui.

«Non ti spiace se vengo con te, vero?» domandò, beffardo.

«Considerato che lo facciamo ogni giorno...»

«Sì, da buoni amici. Ma adesso non lo so più. Se non vi confidate con me, non so cosa pensare.» Strizzò gli occhi, controsole. Non gli risposi subito, ci avviammo in direzione di Bryant Park, poi bofonchiai: «Hanno litigato di brutto?».

«Se non lo sai tu quello che è successo! Allora?» Fabrizio mi incalzava anche con lo sguardo.

«Perché non l'hai chiesto a Marco?»

«Non sono riuscito a incrociarlo. È uscito prestissimo. Credo dovesse andare a Chicago con Rosario.»

«E ieri sera dov'eri tu? Cosa c'entra Pepita?» Mi fermai in mezzo al marciapiede. Fabri mi prese per un braccio e mi costrinse ad adeguare il passo al flusso della folla, alquanto intenso a quell'ora.

«Abita lì, ricordi? È la padrona di casa. Io mi sono perso la scena giusto perché non c'ero. Sono uscito dal lavoro tardi e poi avevo appuntamento dal dentista giamaicano che per giunta mi ha torturato.»

«Mi spiace. Adesso come stai?»

«Anna, non fare la furba. Lascia stare me. Voglio sapere cosa è successo. Pepita ha detto che ha sentito Marco che gridava il tuo nome. Dice che quei due hanno fatto a botte.»

«Per me? Non posso crederci.» Mi spuntò un sorriso.

«Certo non per me. Dai, piantala. Mi sto incazzando sul serio.» Intanto eravamo arrivati alla nostra panchina preferita, ma era occupata da due ragazze con i pattini ai piedi. Anche loro erano in pausa pranzo.

«Vieni, Fabri. Troviamo un posto e poi mi racconti quel che hai saputo.»

«Tu, mi racconti quel che sai. Sono il vostro migliore amico e non mi dite niente?» Fabrizio mi guardava con gli occhi di fuori, offeso per essere stato tenuto all'oscuro di qualcosa che pensava lo riguardasse.

Ci sedemmo e finalmente vuotai il sacco anche con lui, poi tirai fuori la mia bottiglia di minerale e iniziai a bere a piccoli sorsi mentre Fabri masticava il suo panino con aria meditabonda. Restammo in silenzio, circondati dai rumori del parco, a quell'ora animato da tanta gente. C'era chi passeggiava, chi si godeva il sole sdraiato sull'erba, chi giocava con il cane. Qualcuno leggeva, qualcuno era preso con gli scacchi, due gruppi di anziani erano impegnati in una partita a bocce, altri osservavano gli operai che preparavano lo schermo per il film in programma quella sera. La settimana prima avevo visto *La dolce vita*. Era stato emozionante ammirare Marcello e Anita che amoreggiavano, avendo come sfondo le luci di Times Square. Anche i tavoli dei bar che davano sulla piazza erano strapieni di un'umanità colorata e debordante. Io, invece, mi sentivo spaesata. Come sempre in quei giorni, mi mancava Marco che pure non era mio. Almeno, non per il momento.

«Provaci ancora, Anna.» Fabrizio era scattato in piedi e stava spolverando la camicia dalle briciole del suo panino. Prese la giacca che aveva posato sullo schienale della panchina e la fece roteare sopra la spalla. Raccolsi la borsa e il sacchetto con i resti della mia colazione, poi mi alzai con scarso entusiasmo.

«Anna, svegliati.» Lui mi guardava e rideva. «Non hai capito che ce l'hai nel sacco?»

«Chi? Che cosa?»

«Marco.»

«Ti sbagli. Non conto niente per lui. Non gli interesso e non mi vuole.»

«Ah, donne.» Si girò, sempre ridendo. «Altro che sesto senso. Tu non hai capito niente. Dai, è tardi. Facciamo a chi arriva prima in ufficio?» Si mise a correre, sghignazzando, ma il muro di folla lo costrinse a rallentare fino a tornare a un passo normale.

Io lo seguii controvoglia. Camminavo trasognata, inciampavo nelle persone che mi venivano incontro. Non le vedevo, eppure ci sarebbe stato molto da osservare, come sempre a New York. C'erano bianchi, neri, orientali di tante sfumature diverse e sudamericani, ispanici... Erano giovani e vecchi e dell'età giusta, un po' di ragazzi e anche bambini molto piccoli con le mamme o le tate. I più grandicelli erano a scuola. Le fogge degli abiti erano un repertorio infinito eppure... Eppure ogni uomo alto e magro aveva i lineamenti di Marco, gli altri erano tutti senza volto.

Non c'era modo di allontanare il mio pensiero da lui. Non ci riuscivo e neppure lo volevo.

Non ero ancora del tutto sicura che Marco ricambiasse lo stesso mio sentimento. Di certo c'era dell'interesse o forse... In fondo era arrivato a fare a botte per me. Di sicuro io c'ero dentro, ero cascata dentro questo amore, ormai una melassa che mi avviluppava e non c'era verso di uscirne.

Una ragazza che pattinava in direzione opposta alla mia mi urtò malamente e rischiai di cadere. L'imprevisto servì a tirarmi fuori dall'incantamento in cui mi trovavo.

«Fabri, aspettami.» Con una volata coprii la distanza che ci separava. Infilai il mio braccio sotto il suo e gli strinsi il polso, forte. Lui mi guardò ridendo, sorpreso.

«Sì, hai ragione» dissi, accelerando il passo e trascinandolo appresso a me. «Vedrai che questa sfida la vinco io. Marco non ha scampo. Voglio fidarmi di te.»

Il rumore di fondo delle auto, le luci intermittenti delle insegne che rompevano il tunnel d'ombra creato dai grattacieli lungo tutta la strada, lo spicchio di cielo che incombeva dall'alto, colorato di un azzurro speciale, tutto contribuiva a rafforzare l'impressione che la città fosse una mia intima amica. Ormai le appartenevo. Forse avrei potuto passare qui la mia vita con Marco.

«E fai bene» disse Fabri. Intanto eravamo arrivati al portone dell'ufficio. «Dai. Se non ti sbrighi facciamo tardi e allora sarà Valentino a non fidarsi più di noi e ci manderà a casa in anticipo.» Fabri rideva mentre mi scuoteva con delicatezza, sciogliendo il suo braccio dalla mia stretta. «Allora, sei convinta? Vai avanti?» aggiunse precedendomi.

«Non mi tiro indietro. Io Marco lo voglio.» Chissà perché mentre lo dicevo mi era venuto il magone.

«Brava, Anna. Così si fa. Adesso però andiamo a lavorare.» Fabri mi trascinò dentro l'atrio, poi in ascensore e mi guidò fino alla porta del mio ufficio. «Ricordati che domani faremo notte. Immagino che Simone non sarà della partita. Saremo solo noi tre. Fatti bella.» Mi diede un buffetto sulla guancia. «Ma cosa dico? Mica ne hai bisogno.»

Per il resto del pomeriggio non combinai niente.

Quella sera, dopo il lavoro, mi infilai nella metro con in testa un'idea ingenua: avrei intessuto intorno a Marco una rete di attenzioni, coccole più o meno discrete, in cui sarebbe rimasto impigliato senza rimedio. Per cominciare, prima di rientrare a casa passai dal deli, l'emporio dei cinesi, e comperai tre tavolette di cioccolato con le nocciole che poi ebbi cura di spezzettare in modo grossolano sul tavolo della cucina. Sistemai i pezzi di cioccolato, massacrati, su un piattino di servizio decorato con dei fiorellini e incartai il tutto con della carta regalo bianca. Chiusi il pacchetto con un fiocco giallo uovo extra large.

Un paio d'ore dopo, a letto, passai dalla veglia al sonno pregustando l'effetto della sorpresa che avrei fatto a Marco, l'indomani mattina: «Per te. Ho passato tutta la sera in cucina». Avrei accompagnato il regalo con uno dei miei sorrisi più intensi. Lui mi avrebbe guardato stupito, ruminando il cioccolato mentre un pezzetto di nocciola si incastrava tra i denti. «Che buono. Sei bravissima, Anna.» «Eh, sono Anna dei miracoli.» Avrei raccolto il suo sguardo amoroso.

Questo il film che mi ero fatta la sera.

La mattina dopo, in ufficio, Marco volle condividere il mio regalo con Rosario, Fabrizio e qualche altro. Fu molto apprezzato e nessuno mise in dubbio le mie capacità di pasticciera, ma la reazione di Marco fu meno romantica del previsto. Biascicò un grazie e poi aggiunse: «Chiamo gli altri. È troppo solo per me».

La situazione era in stallo e io avevo poco tempo. Sapevo che era prossima la data in cui sarebbe partito per l'Italia, per partecipare al matrimonio del fratello. Del resto anche il tempo del mio stage stava per scadere. Dovevo accelerare. Decisi di abbandonare ogni ritegno e approfittai della pausa pranzo per infilare di nascosto una lettera, una specie di dichiarazione, nel primo cassetto della sua scrivania. La missiva era indirizzata *Al mio caro Marco*.

Per un caso ebbi modo di osservare la sua reazione quando la scoprì. Lo vidi aprire il cassetto e guardare la busta; di certo aveva capito che ero io ad avergliela mandata. Si era guardato intorno, aveva intravisto dove mi trovavo, a metà corridoio. Lo stesso, con fare indifferente, aveva infilato la lettera sotto altre carte, senza aprirla, poi aveva chiuso la porta del suo ufficio. Potevo altresì sperare che, una volta solo, l'avrebbe ripresa per leggerne avidamente il contenuto.

Ero avvilita.

Non avevo neanche voglia di uscire quella sera, con lui e Fabrizio.

13
LA LETTERA

«Caro Marco, non hai modo di sfuggire alla nostra Anna.»
Fabrizio rideva, sornione.

«Cazzo, ti ci metti anche tu. Però adesso è ora di finirla»
ero sbottato.

«Guarda che ormai ci sei dentro fino al collo. E lo sai. Ed è
una cosa densa, mica una roba da nulla, con la veneziana, come la chiami tu.»

«Senti, fammi il piacere: vai a lavorare.» Ero esasperato
per la lettera di Anna. Non ce l'avevo con lei, anzi. Aveva di-
mostrato un bel coraggio a dichiararsi, il problema era mio.
Ancora non sapevo definire cosa fosse quello che sentivo. Era
difficile da dire perché non era una cosa da poco.

Ero sicuro che se avessi ceduto al mio istinto mi sarei inol-
trato in un territorio minato. Avrei dovuto abbandonare
l'idea di proseguire per la mia strada così come l'avevo pensa-
ta: una vita in gran parte pianificata, per la quale stavo attento a evitare di incorrere in distrazioni, o peggio, amori. Di certo Fabri avrebbe detto che ragionavo come un vecchio e che
tanto i passi falsi sfuggono a qualsiasi logica. Le cose capitano
e basta.

Però continuavo a pensare, con un senso di fastidio, che
Anna fosse una calamità da evitare. Qualcuno aveva detto: "Il

cuore ha ragioni che la ragione non conosce". Ma che diamine, adesso tiravo in ballo le citazioni da cioccolatino. Anna aveva già cominciato a farmi male., Occorreva essere pratici: l'unica via da seguire era quella della ragione, il cuore crea solo confusione.

«Vado. Ci vediamo stasera. Uscita a tre, ricordi?» Il tono di Fabrizio era malizioso. «Magari arrivo un pelo in ritardo, ho un'altra seduta dal dentista. Mi raccomando, in mia assenza non fare a botte con nessuno e non fidanzarti.» Sparì in corridoio.

Imbarcarmi in una storia seria era escluso, proprio contro i miei principi. Io amavo l'ordine, Anna era un ciclone. Un legame con una come lei avrebbe comportato una serie di passi, di domande, molte poco importanti, almeno per me, ma le donne senza certe risposte non sanno vivere: ci fidanziamo, conviviamo e ci sposiamo, un bambino o due e la casa grande... C'ero già passato, a Fano. Non avrei pagato dazio a New York.

Eppure sentivo che Anna mi mancava già anche se non avevo mai condiviso nulla con lei, a parte un bacio. Insomma, alla fine potevo provarci, vedere come andava. Una cosa senza impegno, poi sarei partito per l'Italia, c'era il matrimonio, avrei avuto il tempo per prendere fiato.

"Se non provi non lo sai" pensai.

Avrei deciso sul momento, quella sera.

Di sicuro Anna sarebbe venuta con noi, come d'accordo. Non mancava mai alle nostre serate.

Avevo voglia di vederla, magari avrei continuato a starle alla larga. Avrei finto di non cogliere la sua delusione perché non la degnavo di uno sguardo. Ero quasi certo che lei fosse consapevole della mia finta. Sì, la cosa migliore per tutti e due era scoprire come andava. Anna per una notte, se fosse stata d'accordo, magari avremmo scoperto che non funzionava come pensavamo. Succede. In seguito, Anna sarebbe uscita dalla mia testa, l'avrei ricordata come un breve capitolo, ormai chiuso.

Mi vestii in fretta. Speravo che arrivasse in anticipo.

La serata era caldissima. Fabrizio era appena arrivato dall'appuntamento con il dentista, aveva una guancia un po' gonfia, ogni tanto ci premeva contro la mano.

«Ti fa male?» domandai

Aveva stretto le spalle, noncurante: «Sono ancora sotto effetto dell'anestesia».

«Perché non metti del ghiaccio? E quando l'effetto sarà finito?»

«Dopo sarò sbronzo e non sentirò niente.»

Decidemmo di aspettare che Anna ci raggiungesse seduti sui gradini dell'ingresso, fuori del palazzo. Dentro casa il vecchio condizionatore aveva dato forfait.

«È sobrecalentado» aveva diagnosticato Pepita, ma il suo tono era dubbioso.

«Non esiste che un condizionatore si surriscaldi.» Fabrizio rideva, ma l'idea di dormire in un forno ci seccava parecchio.

«È troppo vecchio. Bisogna cambiarlo» avevo suggerito io.

«Troppi dollari. Si aggiusta.» Pepita aveva chiuso il discorso e noi ci eravamo accomodati sugli scalini, ma non tirava un filo d'aria. Eppure, quando Anna scese dal taxi ci portò una ventata di fresco. Indossava un abito blu notte, lungo e leggerissimo, la schiena scoperta non era neppure lucida. Ma quella ragazza non sudava?

«Ciao. Mi fate spazio?» Si sistemò in mezzo a noi spargendo intorno una nuvola di profumo.

Evitai di guardarla. Mi faceva piacere averla vicino e nello stesso tempo non andava bene. "Tira su il muro. Non fare entrare nessuno, tantomeno Anna. Se entra nella tua fortezza sei finito" continuavo a ripetermi. Intanto sentivo che lei e Fabrizio stavano parlando, ma non prestavo loro attenzione.

«Anna, non puoi continuare a stare lì. È pericoloso. Diglielo anche tu.»

«Dirle cosa?» risposi distratto.

«Stasera ho scoperto che nel nostro palazzo hanno messo il nido due barboni. È stato un caso, stavo mettendo fuori la spazzatura e...»

«Che caso? Sai che è pericoloso?» Avevo subito drizzato le antenne. Anna aveva il potere di cacciarsi nei guai. Prima con Simone e ora con i barboni. Magari erano dei tossici. Accadeva tutto insieme, e al centro di ogni cosa c'era Anna.

«Macché. Mica sono pericolosi. Stavano frugando nelle nostre pattumiere, hanno fatto base nel sottoscala. Sono una coppia di mezza età. Lei assomiglia ad Annie, quella della mela.»

«Che mela?» Fabrizio si era alzato in piedi e guardava l'orologio.

«Quella del film. Vi ricordate quel vecchio film con Glenn Ford e Bette Davis? L'ho visto tante volte da bambina.»[4]

«Non puoi continuare a stare lì» dissi io. «Non è sicuro.» Ero teso, dovevo convincerla a darmi retta.

«Dove vuoi che vada? Adesso che Asena si sposa dovrò cercare una nuova inquilina.»

«Vieni a stare qui. Da me. Io tra un paio di giorni parto per il matrimonio di mio fratello. Pepita sarà d'accordo. In seguito vedremo, tanto tra poco tornerai a casa...» Anna non disse niente. Mi guardò fisso poi, nonostante il caldo, sembrò attraversata da un brivido.

Mi resi conto di avere fatto un errore, un passo falso di cui forse mi sarei pentito. "Però mica può restare lì da sola" pensai. "Farla venire da me è la cosa giusta." Comunque lei sarebbe rientrata in Italia a stage finito; la data avrebbe coinciso con quella del mio rientro a New York, più o meno. Forse non ci saremmo neppure incrociati.

«Ehi, ci muoviamo?» Fabrizio era già in piedi. Ci alzammo anche io e lei, evitando di guardarci.

«Facciamo due passi a piedi, poi prendiamo un taxi al volo» propose Anna. E così facemmo. Fabrizio cominciò ad accusare la nevralgia, nessuno era in vena di chiacchiere. Nell'aria si percepiva una tensione simile a quella che precede un grosso temporale. Tutti e tre sapevamo che quella notte avrebbe significato molto per me e Anna. Di sicuro Fabri, seppure fuori dai giochi, parteggiava per lei.

Più tardi, fermammo un taxi, salii di fianco al conducente, lontano da Anna che si sistemò dietro con Fabrizio.

«289 10th Ave» dissi. L'auto ripartì. Nessuno parlò per tutto il tragitto.

14
LA NOTTE DEL MARQUEE

Erano da poco passate le due e il Marquee era strapieno.

Io stavo ballando, svogliata.

Solo ginnastica senza passione.

Osservavo l'insieme colorato dei ballerini che oscillava e si sfrangiava per ricomporsi come un'onda all'incontro tra due mari. La musica riempiva ogni vuoto. Ballavamo tutti, io, Marco e Fabrizio. Ci muovevamo di malumore. Quella sera qualcosa aveva rotto l'armonia che di solito accompagnava le nostre uscite. Ne era stato contagiato perfino Fabrizio, forse per il mal di denti. In certi momenti era davvero difficile trovare lo spazio utile per muoversi a ritmo di musica. Ogni tanto la rete di corpi si diradava a allora riuscivo a sfogare meglio il cattivo umore con il movimento. Il troppo alcol che avevo ingurgitato cominciava a farsi sentire. Marco si era fermato su una esplosione di suoni esagerata; mi fissava e muoveva le labbra.

Un pesce.

Il muro di suoni vibrava compatto e impediva che passasse qualsiasi voce umana. Riuscii a leggere le sue parole.

«Vieni. Andiamo via.» Senza alcun preavviso mi aveva stretto forte la mano e mi trascinava con sé, a fendere la calca che riempiva il locale.

Nello stesso momento i Dj annunciarono l'arrivo di una sorpresa. Le loro voci metalliche sovrastavano il frastuono e correvano sull'effetto di un'eco vibrata da una parte all'altra del night club.

Avevo accelerato il passo, dietro a Marco. Lo seguii senza alcun pensiero, troppo stanca o brilla per considerare ciò che stava accadendo.

Un attimo dopo eravamo sul marciapiede della 10th Avenue mentre un taxi terminava la sua corsa proprio davanti a noi. Mi girava la testa, ridevo gorgogliando a fontanella, l'espressione un po' stupida. Anche Marco aveva bevuto qualcosa di troppo, ma era senz'altro più lucido di me.

«Principessa...» mi aveva invitato con un inchino.

La macchina sapeva di sporco vecchio. Mi sistemai con cautela, passando prima la mano sul sedile. L'euforia da alcol stava svaporando.

«Dove andiamo?»

«A casa. Stasera non ho voglia di tutto questo casino.» Marco scivolò sul sedile al mio fianco e diede all'autista l'indirizzo di Pepita. Mi prese di nuovo la mano mentre io sprofondavo nelle crepe del rivestimento di pelle, spaccato in più punti.

D'improvviso ero preoccupata, inquieta.

L'agitazione mi rese muta.

Perché non aveva dato il mio indirizzo, nel Queens? Quando facevamo tardi, lui e Fabrizio mi riaccompagnavano sempre a casa. Forse si era distratto, avrei dovuto farglielo notare, ma non parlai. Non dissi una parola per tutto il tragitto. Lo guardavo, evitando di incontrare i suoi occhi. Era in ottima forma, quindi dovevo scartare l'ipotesi che non stesse bene.

Inutile farsi troppe domande. Decisi che, quando il taxi fosse arrivato a destinazione, avrei salutato Marco con un bacio leggero sulla guancia, come al solito, poi avrei dato all'autista il mio indirizzo.

Sarebbe finita lì. La conclusione della serata sarebbe stata la solita. Mi sfuggì un sospiro profondo. Non avevo lasciato niente di intentato per conquistare Marco.

Ero delusa, ma non ancora rassegnata.

Giravo intorno all'idea che mi avesse offerto di stare nel suo appartamento per qualcosa di più di una cortesia verso una conterranea.

Ero certa che lui tenesse a me, però non cedeva.

Mi avrebbe lasciato una casa vuota.

Anche questa volta le mie speranze sarebbero state infrante. Inutile fare ipotesi su ciò che *non* stava accadendo.

Infatti, eravamo soli dentro il taxi e lui neanche mi rivolgeva la parola.

Ognuno al suo posto.

Eppure ero a New York. Qui poteva accadere qualsiasi cosa. Agli altri, non a me, forse aveva ragione Bea, nonostante tutto.

Non avevo concluso il pensiero quando Marco avvicinò la sua mano alla mia. Iniziò a far scorrere le sue lunghe dita all'interno del mio polso, seguendo la linea delle vene.

Un messaggio? Una carezza. Un gesto solo per me. Finalmente.

«Sei stanca?»

«No. Per niente.» Faceva caldo, il traffico aveva la stessa intensità di quello diurno. Mi sentivo a disagio, senza un motivo preciso. Anzi, una ragione c'era: non capivo cosa stesse succedendo. Ripensai a tutto ciò che mi ero inventata in quelle settimane per compiacere Marco e ai messaggi contrastanti che lui mi aveva lanciato. Non mi aveva mai incoraggiata. Al contrario, mi aveva fatto capire in tutti i modi di lasciare perdere.

E adesso?

Adesso mi aveva trascinata dentro un taxi a metà di una serata al Marquee e stavamo correndo verso casa sua. Non feci in tempo a concludere il ragionamento che l'auto iniziò a rallentare. Eravamo arrivati.

«Tieni il resto» disse Marco, rivolto all'autista, poi aggiunse. «Vuole scendere, Principessa?»

Esitai. Lui se ne accorse e con un sorriso e un cenno della mano rinnovò l'invito. Scivolai fuori dal taxi. In piedi sul marciapiede passai la mano sull'abito, una lisciatina per distendere le pieghe e anche i pensieri.

Marco aveva già fatto i pochi gradini per arrivare al portone e stava armeggiando con le chiavi. Salii anch'io e rimasi alle sue spalle.

Un alito di vento caldo mi fece sussultare.

***

Alla fine avevo deciso di seguire l'istinto, volevo capire dove mi avrebbe portato una storia con Anna. Vederla ballare davanti a me con quell'aria sconclusionata mi aveva intenerito. Era irresistibile e non lo sapeva. Faceva tanto l'emancipata, mi aveva corteggiato con coraggio, aveva grinta e non si tirava indietro davanti a niente. Sarebbe stata una buona compagna di gioco? Non avevo che da portarla via da lì per scoprirlo.

Ora o mai più.

«Principessa, prego.» Anna aveva un sorriso tirato, gli occhi timidi e curiosi. Esitò prima di salire sul taxi.

Di nuovo mi sentii combattuto: avevo davanti una bambina. Ebbi un ripensamento, lei mi piaceva, ma ero ancora in tempo per lasciare perdere.

Per prudenza.

Per convenienza.

Perché, cazzo, non avevo voglia di impegolarmi con una così.
E adesso?
Che errore portarla a casa.
Cosa mi era preso?
Io mi volevo solo divertire. Come mi aveva insegnato Fabrizio. Niente impegni, solo ginnastica. Tanto per fare.

New York era piena di donne bellissime con cui non era un problema andare a letto, imbastire una relazione occasionale. Passare qualche ora, al massimo una notte o comunque scaldarsi un po', senza conseguenze, tanto per tirarsi su e fare gli smargiassi.

Anna era diversa.

Anna.

L'idea iniziò a farmi paura.

No, non andava bene.

Alt, Marco! Fermati qui, finché sei in tempo.

Anna mi piaceva, sì.

Che cretinata averla portata via dal Marquee.

Desideravo qualcosa di vero.

Però Anna era troppo.

Era una con cui fare sul serio e basta. L'avevo capito fin dalla prima volta che l'avevo vista. Precisa, carina, caparbia... lo sguardo trasparente di quelle che cercano il grande amore.

Fabrizio direbbe: un'*italiana* di prima scelta.

Troppo lusso, adesso, per me.

Volevo altro, carne fresca, sì, ma un taglio non troppo raffinato andava meglio, data la situazione.

New York era fuori dal finestrino, veloce, contrasti elettrizzanti, una grande discoteca all'aperto. Bere, ballare, non pensare. Le frenate e il ritmo regolare del motore. Le luci delle insegne sovrapponevano e intrecciavano i loro colori e battevano tempi diversi in una sinfonia che non tutti potevano capire. Mi spingevano a non perdere altro tempo.

L'autista, un ispanico, ci osservava nello specchietto retrovisore. Visto che nessuno parlava aveva manovrato per alzare il volume della musica. Conoscevo il pezzo, *Libertango* di Astor Piazzolla. Mi piaceva. Conteneva una vena malinconica che sentivo piena di promesse.

Di nuovo avevo virato con i pensieri. Da dentro a fuori. Mi ero girato a guardare Anna e le avevo sorriso. Lei aveva un'espressione spaurita.

Sì, era una bambina.

Una donna-bambina, o il contrario.

Era una notte caldissima. La sua mano era gelata.

Cosa stavo facendo?

C'era bisogno di tirare a indovinare?

Troppo alcol, ecco cos'era. L'istinto aveva preso il sopravvento e mi aveva spinto fuori dal locale insieme a lei.

Intanto eravamo arrivati. Avevo pagato il tassista ed eravamo entrati nell'atrio del palazzo dove abitavo.

«Fai piano, mi raccomando. Meglio non svegliare la padrona di casa.» Anna aveva annuito e si era sfilata le scarpe. Aveva dei bei piedini, piccoli per la sua altezza. Avevo aperto la porta e acceso la luce della lampada sul tavolino.

Solo quella.

***

La casa di Marco mi sembrò diversa dalle altre volte che c'ero stata. Era diventata un luogo sconosciuto, estraneo.

«Vuoi da bere? Hai sete?» Il tono era quello che si riserva a un ospite di riguardo. Lo guardai incantata. Lui era leggermente piegato in avanti, illuminato dalla luce del frigorifero. Aveva una pelle perfetta.

Mi ricordai del mio segreto, il mio cruccio, il motivo per cui a diciannove anni avevo smesso di andare in spiaggia. Io mi vergognavo di quel che nascondevano i miei vestiti.

Adesso ero lì, sola con l'uomo per cui avevo preso la prima vera cotta della mia vita.

Forse tra me e lui stava per accadere qualcosa, finalmente. Forse la situazione si sarebbe spinta tanto avanti da costringermi a mostrare le mie cicatrici? Ne avevo diverse sulle anche e sulle gambe, ma quella che più mi metteva in imbarazzo e che mi faceva sentire brutta, era il grosso sfregio che attraversava tutta la mia pancia. Un'autostrada da sotto il seno fino al pube.

«Acqua» disse Marco con lo stesso tono con cui avrebbe potuto dire *champagne!* Avanzò verso di me reggendo una bottiglietta di minerale. Io ero appoggiata di spalle al cassettone di legno vecchio. Un brutto coso marrone sormontato da una specchiera.

Marco guardava me e la mia immagine riflessa nello specchio. Davanti mi vedeva com'ero, Anna, con la frangetta scomposta, i gomiti posati sul piano del vecchio mobile, i cinturini dei sandali dal tacco affusolato ancora infilati tra le dita della mano destra mentre dall'altra parte stringevo la borsetta. Dietro, nello specchio, immaginavo i miei capelli lunghi e scuri, una cascata nell'ovale della scollatura che metteva in mostra la mia schiena nuda. Nella curva delle mie spalle c'era tutta la tensione della mia insicurezza.

«Vuoi restare o vuoi scappare?» Posò la bottiglia sul comò e infilò le mani dietro la mia vita. «Tu non sai cosa fare, vero Anna?» Era serio.

Non risposi. Ero pronta a tutto. Era il mio momento, lo sentivo. Gli dovevo dire di quella cosa? No. A parte le cicatrici, se ne sarebbe comunque accorto. Avrei fatto la figura della scema? Ci sarebbe rimasto male? Forse mi avrebbe respinta.

Mi baciò, il nostro primo vero bacio, chiusi in una stanza. Soli. Lo guardai dritto negli occhi e seppi che ero alla prima pagina del libro che avrebbe raccontato la nostra storia. Però io volevo la favola, con Marco, e viverla fino in fondo. «Cosa c'è?» Mi aveva preso il viso tra le mani e mi fissava. Iniziai a battere i denti, piano. Lui se ne accorse e gli spuntò una piccola ruga tra le sopracciglia: «Cosa stiamo facendo?» Si staccò da me. «Senti, è troppo tardi perché tu vada a casa. Non preoccuparti di niente. Ti presto un pigiama. Dormi qui, stasera.» Io lo fissavo stralunata.

L'atmosfera era cambiata, il momento, quel momento, era scivolato via senza che me ne rendessi conto.

Ero disperata. Cosa c'era che non andava?

Non gli piacevo abbastanza.

Forse aveva capito che... e non gli andava.

Marco era rimasto immobile, in silenzio. Io, muta.

Mi vergognavo. Non sapevo più niente.

Chi ero io? Perché stava andando buca?

Possibile che non riuscissi a superare questa cosa?

Io ero pronta. Pronta!

Perché era lui che volevo e nessun altro.

Finalmente ebbe una reazione. Mi sorrise, ma solo con la bocca. «Dai, Anna. Non avere paura. Non fa niente. Dormiremo insieme e basta. Come due bravi bambini».

E fu così. Dormimmo nello stesso letto.

La prima volta.

Ognuno dalla sua parte del materasso, anzi sul bordo. Dopo un po' Marco prese a russare leggermente.

Io quella notte non chiusi occhio. Piansi sempre, in silenzio.

15

Il giorno dopo

«Cazzo, Marco! Dove sei finito ieri sera?» Fabrizio mi guardava con l'aria di prendermi in giro. Era presto e in ufficio non c'era ancora nessuno.

«Ero stanco. Avevo bisogno di andare a letto prima delle quattro. Per una volta.» Avevo buttato lì la risposta, ma sapevo che il mio amico non si sarebbe accontentato. Seduto alla scrivania, avevo avviato il computer e fingevo di essere concentrato sui documenti che avevo davanti.

La mattina Anna era andata via prestissimo per passare da casa sua a cambiarsi e poi venire in ufficio. Di sicuro nessuno poteva immaginare che avesse passato la notte nella mia stanza, a casa di Pepita.

La ragazza si era comportata in modo responsabile.

Nessuno doveva vederci arrivare insieme in ufficio. Nessuno doveva sospettare che tra noi ci fosse qualcosa.

Del resto non c'era niente. Non era successo niente.

Ammesso che condividere lo stesso letto per un'intera notte fosse niente.

«Ieri sera sei sparito con Anna. Allora, la ragazzina ha vinto?» riprese Fabri.

«Pensa quello che ti pare. Anna è una che sa quello che vuole e per prenderselo è disposta a mettersi in gioco» risposi, asciutto, mentre manovravo con il mouse, gli occhi incollati al monitor.

«Vuoi dire che te l'ha data?»

«Cazzo, Fabrizio!»

«Bravi, già al lavoro. Avete aperto voi la ditta?» Rosario Montrone aveva fatto la sua entrata plateale. In faccia aveva dipinta un'espressione cordiale, tuttavia non c'era dubbio che il tempo per il cazzeggio fosse terminato. Era ora di fare sul serio. Fabrizio sparì nell'ufficio di fianco al nostro e io finsi di restare indifferente alla battuta. Montrone mi elargì un lungo sguardo indagatore. Non disse niente, non chiese. Una grazia. Qualche volta i capi hanno un sesto senso particolare.

Di Anna nessun indizio. Non avevo riconosciuto il suono della sua camminata sul pavimento del corridoio e neppure l'eco del suo "Buongiorno, buongiorno ragazzi", il saluto che spargeva in giro, puntuale ogni mattina, replicandolo più e più volte come offrisse caramelle.

Mi sorpresi a pensare che di lei conoscevo molte cose, ma in fondo non sapevo niente

Anna era forte.

Di nuovo pensai che Anna mi faceva paura.

Da qualche giorno era arrivata Olympia, la stagista che mi avrebbe sostituito per le urgenze mentre ero in Italia. Più che altro sarebbe stata un aiuto per Rosario. Lei era svizzera, di Lucerna, un fatto inconsueto per la nostra Compagnia che pure riuniva dipendenti provenienti da tutte le parti del mondo. Al contrario di Anna, Olympia possedeva una bellezza vistosa, accentuata dal trucco appariscente che sfoggiava già di prima mattina, abbinato ad abiti sempre aderenti e a un modo di fare vivace, un po' sopra le righe. Rideva molto e sollecitava la risata d'accompagnamento. Insomma, una Barbie.

Dovevo passarle alcune consegne che riguardavano Rosario e mi trovai a trascorrere diverse ore in sua compagnia. Un tempo piacevole.

«Quando sei arrivato qui?» Olympia mi aveva interrotto nel bel mezzo di una spiegazione complessa. Le carte con i grafici erano abbandonate sul tavolo, davanti a noi.

Eravamo soli e decisi che potevamo prenderci una pausa. Spinsi indietro la sedia e allungai le gambe mentre intrecciavo le mani dietro la nuca. «Nell'agosto di due anni fa, appena saputo dello stage. Sono partito dall'Italia allo sbaraglio. Ho preso l'aereo senza sapere dove sarei andato a dormire.» La squadrai per vedere che effetto le faceva il mio racconto. «Non avevo paura di niente. Sentivo che ce l'avrei fatta, che avrei spaccato il mondo. Lavorare non mi spaventava, ero convinto che il futuro mi riservasse chissà quali meraviglie e... Sai che lo penso ancora?»

«Come me» intervenne Olympia. «Mia madre mi ha soprannominato la spavalda. Ha un modo di parlare che non usa più.» Esibì una risata lunga e modulata così buffa che era impossibile resisterle. «Io le ho detto: "Mamma, quando sono lì vedo com'è la situazione e mi arrangio", ma lei è sempre preoccupata e spera che, finito lo stage, io torni a casa.»

«E tornerai?» le chiesi.

«E tu?»

«No, non credo. Nessuno a casa mia si aspetta che io torni. E poi qui mi sta andando bene, mi hanno assunto e ho buone prospettive.» Rividi il quadro della mia prima partenza. Matteo e Sofia in piedi in cucina, appoggiati di spalle contro il lavello, con in mano le tazzine del caffè. Mio padre seduto al tavolo continuava a girare il cucchiaino nella tazza. Mancava poco al mio volo da Ancona, meno di tre ore. Sofia mi aveva guardato, poi si era voltata verso mio fratello. Lui aveva bevuto il caffè e posando la tazza nell'acquaio aveva detto: «Tu lo hai capito, Sofia, che lui non tornerà più?».

In quel momento io stavo pensando la stessa cosa. Non sarei più tornato indietro, la mia vita sarebbe stata altrove.

«Nessun pentimento per avere mollato tutto e tutti?» Olympia era diventata seria.

«No. La nostra è un'esistenza fatta di sacrifici. Vivi la maggior parte del tempo in ufficio, lavori tanto. Troppo. Però sei qui, nel posto dove tutto può accadere. Hai nostalgia di casa, ma fai esperienze importanti, incontri persone che in Italia non conosceresti mai e pensi al campetto dove giocavi a calcio con i compagni di scuola, ogni venerdì sera.» Mi tornarono in mente gli amici, Tommi, Mone, Farso, Richi, Baffo, Chicco, Filo. Eravamo cresciuti insieme e credevamo che niente avrebbe potuto separarci. Adesso eravamo dispersi gli uni per gli altri.

«Io ho sognato per anni di venire qui, a New York, e ancora non mi pare vero» disse lei.

«Qui ti fai nuovi amici e mangi male e ti sogni le lasagne, quelle vere. Però è come mettere un punto e a capo alla tua vita. Almeno per me è stato così. E tu, cosa rimpiangi di Lucerna?» Nel frattempo avevo fatto scorrere la mia sedia più vicino a quella della collega.

Mi voltai per prendere alcune carte e vidi Anna ferma sulla porta dell'ufficio. Di certo era lì da qualche minuto, aveva dipinta in faccia la delusione di avermi trovato, beato, con un'altra. Non si fermò, andò via subito, senza salutare.

Mi salì un groppo in gola. Avrei voluto raggiungerla, ma c'era Olympia e la manovra non le sarebbe sfuggita. Per nessun motivo dovevo lasciare trapelare che intrallazzavo con la stagista. Fabrizio sapeva, ma di lui mi fidavo, poi c'era Zoe che faceva allusioni, ma non aveva alcuna certezza. Almeno per quanto mi riguardava. E se Anna le avesse raccontato qualcosa di noi?

C'era un noi? La domanda restò in sospeso. Per il momento avevo altro cui pensare. Non volevo dare troppa importanza a una serata strana nata sull'onda di un bicchiere di troppo. Riflettevo su questo, ma in realtà non vedevo l'ora di trovarmi di nuovo solo con Anna.

"La voglia, più che il cuore", raccontai a me stesso per convincermi di avere ancora la situazione sotto controllo. Avrei capito più tardi che era già amore.

Il resto della giornata trascorse veloce, Olympia era uno scacciapensieri, nonostante ciò capitava che nel mezzo di una risata o di una spiegazione sul carico dei documenti, si aprisse una finestra davanti ai miei occhi. Sbirciavo dentro l'anima di Anna, amareggiata perché l'avevo ignorata, forse anche un po' gelosa. Mi dispiacevo, poi mi scrollavo di dosso il fastidio del senso di colpa e riuscivo di nuovo a sorridere pensando che tra poche ore sarebbe cambiato tutto. Sbirciai la busta che conteneva i biglietti e il passaporto.

Poi, di nuovo Anna. Anna, Anna... Forse mi ero fermato appena in tempo. In fondo ero compiaciuto del mio autocontrollo, non avrei fatto passi falsi. Il mio paracadute era la partenza per l'Italia. Tra quarantottore sarei stato sull'aereo per andare a fare da testimone a mio fratello che sposava Sofia. Non c'era spazio per altro.

Adesso che non l'avevo davanti potevo raccontarmi che Anna era una ragazza tra le tante. Chissà, ci sarebbe potuta anche stare un'avventura con lei, ma non l'avrei mai saputo. Sfiorai il braccio di Olympia con la mano, lei gettò un'occhiata intorno e si avvicinò a me tanto che mi investì il suo profumo, troppo intenso e dolce per i miei gusti. Quello di Anna, invece... Dovevo comunque trovare il modo di salutarla prima della mia partenza, magari sarebbe stata l'ultima volta che ci saremmo incontrati. Sì, un saluto ci stava, senza malizia e senza intenzione, da buoni amici.

***

«Anna, aspetta.» Marco mi raggiunse una manciata di metri prima della stazione della metro. «Non ci siamo incrociati durante tutto il giorno.»

«Ho visto che eri molto occupato» risposi asciutta. Lui mi prese sottobraccio, un gesto che non aveva mai fatto, una confidenza insolita tra noi che non eravamo più solo amici e neppure ancora amanti. Stavamo in un impasto di farina, latte, uova, miele che andava lievitando nella misura di un respiro appresso l'altro. Pianissimo, come un soffio.

«Devo farmi perdonare.» Marco rideva sotto i baffi, immaginai fosse compiaciuto della mia gelosia. Cercai di sciogliere il mio braccio dal suo, ma lui afferrò la mia mano: «Perdonami, anche se non ho niente da farmi perdonare. Credimi.» Lasciò la preghiera in sospeso, poi mi lanciò un'occhiata di traverso. Cambiò espressione, divenne serio: «Andiamo da me. Ho delle pizze surgelate in frigorifero.»

«Che invito di lusso!» esclamai ironica, ma non ero più arrabbiata. Il suo invito aveva capovolto ancora una volta il mio umore e di nuovo sentivo rimescolare il vortice di sentimenti che nutrivo per Marco. Un frullato con dentro tanti ingredienti diversi che stava per traboccare.

Adesso avrei addirittura voluto cucinare per lui. Altro che pizza surgelata.

Durante il viaggio nella sotterranea parlammo poco, ci sfioravamo con gli occhi. Sguardi di sfuggita, ogni tanto più intensi e poi interrotti. Io tornavo a guardare lui che fissava l'orlo della manica della giacca. Sembrava che i suoi occhi fossero agganciati a tutto quel grigio piombo, ma un guizzo incontrollato li riportava su di me per un secondo. Sentivo caldo e per cambiare clima osservavo lo zaino del senzatetto che stava accasciato sul sedile di fronte. Gli occhi come un metal detector in aeroporto, facevo le lastre alle poche cose che aveva con sé fino a che, senza volere, mi ritrovavo persa di nuovo sul mento di Marco, nella peluria della barba di un giorno per poi salire al naso e ritrovarmi a spiare il taglio dei suoi occhi. A metà percorso trovai un posto a sedere. Io davanti a lui che premeva le sue gambe sulle mie ginocchia. La tensione, la stessa di quando sai che da ciò che accadrà nelle prossime ore dipenderà il corso della tua vita.

Una scommessa.

***

Entrammo a casa senza fare rumore. Nessuno si accorse del nostro arrivo: non Pepita e neppure Simone che forse era già nella sua stanza, in quanto a Fabrizio... sapevo che era restato in ufficio a terminare un lavoro che l'avrebbe tenuto occupato per un bel po'.

Non aprimmo neanche il frigorifero e neppure accendemmo il forno. Ci ritrovammo abbracciati nello stesso momento in cui chiusi la porta del mio appartamento alle nostre spalle.

Anna non parlava. Mi fissava, gli occhi umidi e leggermente offuscati come la sera in cui avevamo dormito insieme. C'era qualcosa che lei mi nascondeva, lo sentivo. Finimmo distesi sul letto in un abbraccio fatto di baci. Per istinto avevo capito che dovevo andare piano anche se ora sembrava più a suo agio. Sorrideva e mi accarezzava impacciata. Sì, c'era dell'imbarazzo.

Mi piaceva che lei, tanto sfrontata nel corteggiarmi, adesso fosse timida. Perfino troppo, un po' mi confondeva. Cercavo di capire il suo disagio, tentavo di decifrare i segnali che mi mandava il suo corpo: esprimeva timore, ma anche desiderio.

«Ti va?» chiesi sottovoce, carezzandola sotto il mento.

«Sì. Ti devo dire una cosa» recitò in un soffio.

«Non mi devi dire niente. Anna, lasciati andare.» Avevo fatto scorrere la lampo del suo vestito mentre lei sbottonava la mia camicia con dita incespicanti. Si rifugiò sotto il lenzuolo. Faceva caldo, ma la seguii.

«Marco.» Nascose la faccia nell'incavo del mio collo e mi venne vicino.

Anna si lasciò guidare.

Semplicemente non sapeva e non era brava a improvvisare. Almeno non ancora. Era tantissimo tempo che non mi capitava di trovarmi in una situazione simile. Anni.

Per un istante mi venne l'idea di tirarmi indietro e subito me ne dimenticai. Fui sopraffatto da quel modo di fare l'amore, goffo e dolce, accogliente e imbranato. Perfino un po' infantile. Quella fu l'occasione in cui scivolammo insieme dentro la nostra storia come fosse la cosa più naturale del mondo.

Mi accorsi che non avevo più paura di Anna. Adesso lei era mia.

La mattina dopo le portai il caffè a letto. Erano le sei, avevamo dormito poco e faticò a svegliarsi.

Sembrò stupita di vedermi, poi si aprì in un sorriso che quasi scottava, come il sole che già filtrava dalle finestre, troppo caldo. Le allungai la tazza e mi tirai subito indietro.

«Perché hai paura di me?» chiese con le labbra imbronciate.

Non era facile e scontata come poteva sembrare. Anna, così fragile, era di ferro.

«Figurati.» La baciai. «Oggi parto, te lo sei dimenticato? Ho ancora molte cose da fare, cose che avevo in programma di portare a termine ieri sera. Ma, come sai, la serata ha virato.» Risi, ripresi la tazzina ormai vuota dalle sue mani e la posai sul comodino. Mi allungai sul letto, vestito, e la baciai. «Devo andare in ufficio» dissi, sottovoce. Anna sospirò e tirò il lenzuolo fino sotto il mento.

«Fai con comodo. Solo cerca di non farti vedere quando esci» mi raccomandai.

«Lo so. Starò attenta. In ufficio ti tratterò male.» Mi tirò il cuscino, ridendo. «Stai lontano da Olympia, altrimenti...» In faccia aveva dipinta un'aria beata.

«Io non ci sarò.» Vidi che si rabbuiava e mi fece piacere. Ero proprio messo male. «Adesso, però, devo andare. Ci credi che ho dimenticato i biglietti e il passaporto sulla scrivania?»

«Ma dai.»

«Colpa tua. Ieri sera avevo fretta di correrti dietro.» Uscii nell'alba rugiadosa di New York. La strada era ancora abbastanza tranquilla, ma c'era già parecchia gente che si avviava alla fermata della metro.

***

Appena rimasi sola scoppiai in un pianto dirotto. Ero felice e avevo paura.

Avevo fatto l'amore per la prima volta con l'uomo di cui ero innamorata. Non vedevo l'ora di stare ancora con Marco e invece lui partiva.

Non ero più vergine.

Mia madre avrebbe detto che ero diventata una donna.

A tutti gli effetti.

Avevo bisogno di dirlo a qualcuno. Certo non a mamma. Non mi fermai neppure a pensare alla differenza di fuso orario con l'Italia. Nella stanza il sole illuminava la parete nella parte in cui c'era il pilastro rivestito di mattoncini rossi. La luce creava una tavolozza di sfumature sulle lenzuola blu ed era calata una cappa di caldo insopportabile. Marco mi aveva avvisato: il condizionatore funzionava a intermittenza. Era guasto dalla sera prima, quando aveva esalato l'ultimo refolo d'aria fresca.

«Bea.»

«Anna, sto per mettermi a tavola.»

«Sai il ragazzo di cui mi sono innamorata... Sono stata con Marco.»

«Allora! Vabbè, allora? Chiami per dirmelo? Sai che notizia. Buon per te, per voi. Se poi è stato soddisfacente.» Sghignazzò.

«Non hai capito. Abbiamo fatto l'amore.» Restai in pausa per un momento. «Per me è stata la prima volta. Lo sposerò» aggiunsi.

«Eri ancora vergine?» Bea era arrabbiata. Sentivo che si muoveva. La immaginavo percorrere il lungo corridoio di casa sua, un cunicolo scuro. «Non me l'hai mai detto. Perché?»

«Beh... Tu e le altre eravate più esperte di me. Mi sentivo in svantaggio. Non ho mai detto niente né in un senso né nell'altro. Non ho neanche mai detto che l'avevo fatto con qualcuno.»

«Stronza. Allora non sei mai andata in fondo con nessuno. Del resto...»

«Mica mi devo vergognare. E poi è un problema superato, mi pare.» Ridevo per avere trovato ingombrante la mia verginità. Finalmente me ne ero liberata e con l'uomo giusto. Il mio uomo.

«Era ora che ti capitasse. Capitolo chiuso» disse lei, per liquidarmi.

«Chiuso un corno.» Bea era insopportabile e io stavo spendendo un patrimonio per quella telefonata scema. «È stato bellissimo. Con Marco è una cosa seria. Lui è l'uomo della mia vita.»

«Che stupida sei. Sei proprio una ragazzina, ti stai facendo un film da sola. Come al solito» rispose Bea e riprese: «Te l'ho già detto, mi pare. Ascolta me...».

Chiusi la conversazione senza salutarla, ma l'amaro che mi aveva lasciato Bea durò poco. Stesa sul letto ripensai a Marco, a quello che era successo, a come dovevo essergli sembrata goffa fino dai preliminari e alla sua espressione quando si era reso conto... Strinsi il suo cuscino e pensai alla prossima volta. Oddio, ci sarebbe stata una prossima volta? Sì, ero sicura che quella notte fosse un inizio. E poi lui aveva amato le mie cicatrici, le aveva percorse con le dita avanti e indietro, una carezza gentile e ripetuta. Poi mi aveva preso la mano per guidarmi al segno lasciato dal taglio attraverso il quale, quando era bambino, gli avevano asportato un rene.

Avevo perso il senso del tempo e tutto quel fantasticare mi fece arrivare tardi in ufficio. Ero stordita, felice e addolorata perché Marco sarebbe partito di lì a qualche ora.

«Non stai bene, Anna?» Rosario mi aveva colto mentre ciondolavo per raggiungere la mia postazione.

«Grazie, è tutto a posto.» Ero arrossita. «Soffro di pressione bassa. Lo scarto tra il caldo fuori e il gelo qui...»

«Bevi un caffè, ti farà bene.» Mi aveva rivolto uno sguardo indagatore. «Anzi, prenditi la giornata libera.» Mi aveva posato una mano sulla spalla per costringermi a fermarmi, poi mi aveva dato una lunga occhiata. «Sembri un fantasma. Avviso io Jeff e anche l'ufficio del personale» aveva detto in tono rassicurante.

Pensai che fosse un miracolo, una congiunzione astrale favorevole come ne capitano una sola volta nella vita. Sarei riuscita a rivedere Marco prima della partenza. Presi un taxi e ritornai a casa di Pepita. Lui era lì, intento a finire i bagagli. Non mi aspettava.

Adesso c'era una grande tensione tra di noi. Non c'era tempo se non per parlare e lo sprecammo per dirci cose inutili: "Hai preso questo e quello e non ti dimenticare quell'altro". Ogni parola aveva un significato diverso da quello che la forma gli attribuiva; un modo pudìco per esprimere emozioni e sentimenti parlando dello spazzolino da denti e della carta d'imbarco. Ci sfioravamo e facevamo scintille.

«Anna.» Marco mi guardava, aveva posato le mani sulle mie spalle. Io ero di nuovo intimidita davanti a lui, aspettavo e allo stesso tempo temevo le sue parole. Si aprì la porta.

«Allora, vai? Pensavi che non sarei passato a salutarti?» Fabrizio era entrato portando scompiglio. Non lo avevamo neppure sentito bussare.

«Ho chiamato il taxi. Ricordi che eravamo d'accordo che ti accompagnassi all'aeroporto? Vieni anche tu, Anna? A proposito, come mai sei qui?» La sua voce si smorzò, titubante. Forse aveva capito l'antifona o quantomeno sospettava che tra noi fosse accaduto qualcosa.

Marco mi strinse forte le mani, poi le lasciò andare e mi baciò sulle guance. «Non venire» sussurrò. «Avremo tempo. Solo per noi» e aggiunse: «Ho avvisato Pepita che ti trasferirai qui, oggi. È tutto a posto».

«Ciao, Marco. Buon viaggio» dissi con il tono più disinvolto che riuscii a esibire. Chiusi gli occhi e li riaprii solo dopo avere udito il rumore della porta che si chiudeva.

La stanza era vuota.

Marco non c'era più.

16
ANNA, ASPETTA!

Trascorsi le ore del volo che mi portava in Italia immerso in uno stato di dormiveglia dal quale ogni tanto risalivo per sognare a occhi aperti. Tutto quello che era accaduto negli ultimi giorni, la mia inevitabile capitolazione ad Anna... Sulla spinta di cosa? Certo avevo ceduto alla mia voglia di lei, dopotutto Anna mi aveva stuzzicato per settimane, ma sapevo bene che dietro ciò che era accaduto c'era molto di più. La scoperta che fosse la prima volta che lei faceva l'amore, come se avesse aspettato me per tutta la vita, il suo candore, la sua maliziosa, inconsapevole innocenza, la sua determinazione. Adesso la mia personale prospettiva sul futuro era completamente cambiata, a causa di una donna. Era successo proprio quello che mi ero ripromesso di evitare.

Quando arrivi a un bivio che non conosci, ti fermi a considerare la situazione, è normale. Imboccare la strada che pensi possa essere quella giusta porterà una serie di conseguenze ineluttabili, nel bene e nel male, poi c'è l'imponderabile, quello che non ti aspetteresti mai ma che può comunque accadere, un evento fuori controllo cui dovrai adattarti.

Sapevo bene che la vita non è mai prevedibile. Devi mettere in conto l'accettazione, l'accoglimento di un destino cui non sempre puoi sfuggire. Tuttavia ero scombussolato come non mi capitava da anni, forse da quando era morta mia madre. Chi ero io? Cosa volevo davvero dalla vita? E ancora, perché la vita doveva essere così faticosa, un impegno continuo per tentare di distinguere ciò che andava bene da ciò che non avrebbe funzionato? Avrei preferito continuare a vivere senza dovermi dare troppo da fare e, infatti, a New York stavo dentro la nicchia che mi ero costruito: il lavoro, qualche avventura senza impegno e ancora il lavoro. Avevo sempre pensato che per un po' di tempo non avrei avuto altre necessità da soddisfare. La mia routine mi sembrava perfetta.

Adesso quel tempo era finito, ero al famoso bivio e neppure avevo ancora capito che tipo di persona fossi. Per colpa di una ragazzina.

Il viaggio mi sembrò più lungo e faticoso del solito e arrivai a Fano stanco morto. Mio padre e mio fratello se ne accorsero e mi lasciarono riposare, rimandando a dopo quello che c'era da dire. Avevo bisogno di smaltire il salto di fuso orario e mi ero appisolato sul divano del tinello quando uno scalpiccio leggero mi riportò a galla. Nella stanza era entrata Sofia, la promessa sposa di Matteo. Restai immobile a osservarla con gli occhi socchiusi. Era bellissima.

«Ehi, Marco, sei pensieroso. Dovrei essere io quella preoccupata.» Si era accorta che ero sveglio. «Un centesimo per i tuoi pensieri?» Fece l'occhiolino.

Mi misi a sedere, pur restando sprofondato nei vecchi cuscini consunti. Nella scenografia di quella stanza c'era troppo marrone per noi, così giovani e colorati. Mi accorsi del contrasto perché Sofia spandeva luce attorno a sé mentre contava a mezza voce i sacchettini di tulle bianco con i confetti. Cinque per ogni sacchetto.

«Niente. Non penso a niente. Le solite cose» risposi.

«Questa volta non me la racconti giusta.» Lei mi spiava l'anima con gli occhi. «Non parli. Allora c'è sotto qualcosa di serio. Chi è? Com'è?»

«Una bella ragazza, tosta come te. No, scherzo, Sofi. Niente di serio. Sai com'è. Si lavora tanto, si esce la sera e si fa girare un po' l'economia.» Feci una risata da sbruffone.

«Non insisto, ora devo andare. Sai, domani mi sposo.» Iniziò a riporre i sacchettini in una scatola larga e bassa. Le brillavano gli occhi. «La prossima volta toccherà a te. Sento che c'è in giro qualcuna che ti porterà all'altare.»

Allargai le braccia e strinsi le spalle: «Non è ancora nata la femmina che riuscirà a incastrarmi».

«Non so perché, ma sono convinta che stia per accaderti qualcosa di buono. Mi sa che c'è qualcuno nella tua vita o sta per arrivare...»

«Ma va là, Sofia.»

Lei si piantò davanti a me, mi prese le mani, le strinse forte: «Lo sai che quando sei partito ci sono stata male? Ero contenta per te, ma perdevo il mio amico, l'alleato che ho in questa famiglia. La mia colonna, insomma».

«Non è vero. Ci sono sempre stato.»

«Sì, l'ho scoperto dopo, ma allora non lo sapevo.»

Sofia si aprì in un sorriso e piegò la testa un po' di lato.

Al suo viso si sovrappose quello di Anna. Avrei voluto che fosse con me. Per un momento pensai a lei come alla mia casa. Intanto la mia futura cognata aveva ripreso a parlare. «Eri presente il giorno in cui ho discusso la mia tesi di laurea ed eri felice di essere lì; questo ti ha reso straordinario ai miei occhi. Ci sei sempre stato anche dopo, da lontano. Ti ricordi quando le cose tra me e Matteo rischiavano di andare storte? Ci hai aiutato. Conservo ancora le mail che ci siamo scritti.»

Notai che aveva gli occhi lucidi e a quel punto anch'io ero commosso. «Basta, Sofia. Rischi di diventare la sposa dagli occhi pesti. Anch'io devo stare sul pezzo, il testimone deve essere al massimo della forma. Perché poi mi sia lasciato convincere a farvi anche da autista proprio non lo so.» Ci abbracciammo, poi lei disse: «Abbiamo dei bei ricordi, ma il meglio deve ancora venire. Per tutti».

Il meglio.

Anna sarebbe stata il mio meglio. In quel momento mi fu chiaro. Ci avevo messo un po' a capirlo, ma ora ne ero sicuro. Non dovevo temere Anna, dovevo solo amarla. Non vedevo l'ora di riabbracciarla, di parlarle. Immaginavo il nostro incontro, il suo sguardo indagatore, il suo sorriso quando avesse ascoltato ciò che avevo da dirle. Mi arrivò l'eco della sua risata, aperta, brillante. E poi avremmo avuto un tempo infinito per assaporare insieme la vita.

Il giorno dopo, in chiesa, mentre il prete officiava il matrimonio di Sofia e Matteo, fantasticavo su me e Anna seduti su un divano rosso, intenti a sfogliare il nostro album dei ricordi. Ricapitolavamo tutte le nostre conquiste, le cose che eravamo riusciti a realizzare, e parlavamo dei nostri progetti futuri.

Era sera, avevamo cenato ed ero sicuro che nell'altra stanza dormisse un bambino.

Il nostro bambino

Il bambino di Anna e mio.

***

Dopo la sua partenza per l'Italia non si fece sentire per due giorni. Quarantotto ore in cui mi trasformai in un fantasma che vagava per le strade di New York, si infilava nella metro e ne emergeva, sempre a testa bassa, i capelli come una tendina perché ciò che c'era intorno era inutile, non interessava. Ogni minuto del percorso dalla casa di Pepita, dove mi ero trasferita, all'ufficio e ritorno era dedicato a fare un elenco ordinato dei motivi per cui lui non chiamava.

Marco mi aveva prestato il suo appartamento, ma essere lì tra le sue cose e sentirlo assente non perché fosse lontano, ma perché mi ignorava, era insopportabile. Il terzo giorno chiamò. Era mattina presto e io ero già sveglia, dopo una notte tormentata in cui avevo dormito solo a tratti e mai a lungo.

«Tra un'ora inizia la cerimonia» disse. «Ho poco tempo. Sono il testimone e ho parecchie cose da fare.»

«Allora vai. Fai quello che devi fare.» Avevo assunto un tono sostenuto. Ero seduta al centro del letto, le spalle curve, i capelli spettinati che mi coprivano la faccia, grosse lacrime che scorrevano sulle guance e rotolavano dentro lo scollo della canottiera. Ero pronta al peggio, ma anche decisa a tenere duro. Per nessun motivo al mondo Marco avrebbe sentito tremare la mia voce.

«Prima devo dirti una cosa importante. Io tengo a te, Anna. Sì, noi stiamo insieme.» Io tacevo, sopraffatta. «Sei lì? Hai sentito?»

«Sì.»

«Noi stiamo insieme. Mi aspetti?»

«Sì.»

«Certo sei poco espansiva!» Mi arrivarono dei rumori di sottofondo, delle voci. Qualcuno lo chiamava. «Devo andare. Ciao, Principessa» disse Marco.

«Io ti aspetto, amore» risposi e finì lì. Il ghiaccio che avevo dentro si era sciolto. Mi era salita una febbre da felicità che mi faceva sudare. Ero sempre seduta sul letto, ma ora le mie spalle erano diritte, la schiena sorretta dalle braccia piantate sul materasso, la testa riversa all'indietro e i capelli che ciondolavano a sfiorare le lenzuola. Il soffitto, ingrigito e incrociato da qualche ragnatela, ai miei occhi era una supernova sfolgorante.

Da quel momento cambiò tutto. Cambiai anch'io. Marco rientrò di lì a qualche giorno e allora fu la mia volta di partire per l'Italia. Il mio stage da Valentino era terminato. Ero decisa a trovare subito un'altra occasione di lavoro per tornare a New York, ora era Marco la mia casa. Lui era il mio amore, il mio amico e confidente, il mio mentore, il mio compagno di giochi. Dovevo capire, dovevamo capire insieme, quanto il nostro sentimento fosse solido, qualcosa su cui costruire il resto delle nostre vite.

Arrivai a Venezia una domenica mattina. I miei erano all'aeroporto con Raffi, mio fratello. Eravamo felici di rivederci, del resto erano passati tre mesi in cui i nostri contatti si erano limitati alle telefonate.

«Anna, come sei bella.» Mia madre mi stringeva a sé e mi allontanava per prendermi le misure, il braccio disteso, la mano che afferrava il mio gomito quasi temesse che potessi volare via come un palloncino gonfio di elio.

«Anche tu sei bella» risposi. «Siete tutti belli.» Li chiusi in un abbraccio collettivo. Volevo spostare l'attenzione da me. Ero stanca per il volo, non ero pronta per raccontare di Marco.

«Stai proprio bene, sai?» Adesso ci si metteva anche papà. Del resto io mi sentivo bellissima. L'amore, quando c'è, traspare da ogni poro della pelle.

«Hai portato regali?» Ringraziai il cielo di avere un fratello e per tutto il tragitto fino a casa ci perdemmo, io a raccontare e loro ad ascoltare le meraviglie del mio soggiorno a New York.

Tra una chiacchiera e l'altra non mi accorsi che eravamo arrivati. L'auto entrò in giardino. Gli alberi mostravano già qualche spruzzata di giallo nelle foglie, il verde dell'erba era meno intenso. Appena in casa ritrovai l'odore di caffè, bucato e tabacco che ricordavo.

«Vi spiace se mi stendo un po'? Solo un'oretta.»

«Vai, bambina» disse mamma. «Ti sveglio per pranzo. Ho fatto l'insalata di riso, il vitello tonnato, l'insalata con i bagigi...»

«Ah, quella!»

«Perché?»

«Niente. Sono contenta. Ne avevo proprio voglia.» Per salire nella mia camera passai davanti alla sala da pranzo. Mia madre aveva già preparato la tavola della festa in mio onore. La tovaglia era di fiandra.

«A dopo» sbadigliai, rumorosa.

«Bella la mia bambina» mugolò lei, dolce. Papà e Raffi erano spariti chissà dove. Forse in garage a trafficare, come sempre.

In camera mia ogni cosa era come l'avevo lasciata. Io, invece, ero molto diversa dalla ragazzetta imbranata che era partita tre mesi prima. Sfilai i sandali e mi lasciai cadere sul letto a una piazza. Mi sembrò piccolo. Di lì a un minuto dormivo.

Il pranzo con la famiglia al completo e qualche amico, in tutto una ventina di persone, fu faticoso. Ero al centro dell'attenzione, quasi non riuscivo a mangiare per rispondere alle domande che arrivavano da ogni lato del tavolo. Nel pomeriggio completai la distribuzione dei regali e arrivò anche Bea, in visita. Andammo in camera mia dove avevo altri pacchetti. Bea era stranamente gentile, mi coccolò a lungo. «Allora, con quel bel tipo con cui te la sei fatta, come va?» La domanda era arrivata diretta dopo che ci aveva girato attorno mezz'ora, senza risultato. Risposi con una risata mentre mi alzavo in piedi e raccoglievo la carta stropicciata dei regali.

«Allora, non mi dai nessun particolare?» Bea era insistente, il suo tono mellifluo. Sentii salire il nervoso. Pensava di avere a che fare con una stupida? Cosa voleva lei, che non era mai andata oltre Venezia?

«Ho fame. Ho voglia di Nutella» Aprii la porta e uscii in corridoio, poi scesi di corsa le scale.

Sentii che Bea si alzava e mi seguiva, ansando. «Aspetta! Sei appena arrivata e non mi racconti nessuna novità.» Lei era stata la mia migliore amica, quella che mi spiegava le cose del mondo e per anni avevo tenuto in gran conto il suo parere, ma era solo una stronza. Non avevo alcuna voglia di andarle incontro. La attesi giù nell'atrio, la porta aperta per farla uscire.

«Ciao, Bea» dissi. «Grazie di essere venuta. Addio.» Non rispose al mio ultimo saluto.

Mamma. Io avevo bisogno di parlare con mamma. Dovevo trovare l'occasione giusta. Arrivò la mattina dopo. Appena terminata la colazione capii che era il mio momento. Del resto eravamo rimaste solo noi due in casa. Per qualche ora nessuno ci avrebbe disturbato.

«Cosa vuoi mangiare oggi, stellina?»

«Quello che ti va di cucinare.»

«Adesso che sei qui riprendi qualche chilo. Sei così magra. Là mangiavi mica bene e si vede. Per fortuna sei tornata a casa.» Mamma parlava davanti alla porta aperta del frigorifero. Stava pescando le zucchine dal cassetto delle verdure.

«Sì, sono tornata, ma ho intenzione di ripartire.» Ero seduta al tavolo della cucina e lisciavo la tovaglietta di cotone con un movimento lento della mano. Davanti a me avevo la tazza del caffè vuota e il vasetto della marmellata di arance ancora aperto.

«Se hai finito, chiudi la marmellata.» Si girò sbattendo la porta del frigo, poi si lasciò cadere sulla sedia di fronte alla mia. «Sarebbe a dire?» Aveva alzato il tono di un'ottava. «Sono quasi pronta per dare la tesi. Nel frattempo cercherò un altro stage da fare là. C'è un ragazzo che mi aspetta. Viviamo insieme.» Quel *viviamo insieme* conteneva la rivelazione di un particolare intimo, una confessione da donna a donna. Mia madre abbassò gli occhi sul grembiule, sospirò e giunse le mani in grembo, senza dire niente.

Lasciai che smaltisse la notizia. Il rumore dell'orologio riempiva la stanza, poi da fuori arrivarono attutiti il raglio di un asino e il brontolio di un tuono.

«È mericano?»

«È italiano.»

Lei si raddrizzò, lo sguardo di nuovo curioso e vivace. Sa incassare, mamma. «Dimmi che è veneto. Uno di qui, di noi.»

«No.» Ero scoppiata a ridere. «È foresto. Un marchigiano, pensa un po'.»

«Uno di mare? Vive in costa?»

«Sì, a Fano. Sarebbe stato lo stesso se fosse vissuto in montagna o in una città dell'entroterra. Cosa c'entra?»

Silenzio. Era chiaro come cercasse di misurare le parole. Allungò le mani attraverso il tavolo e prese le mie. «Racconta. La famiglia?»

«Normale. Gente a posto. Il padre è in pensione. Ha un fratello più grande, appena sposato.»

«Voglio sapere della sua mamma. Che tipo è? Ci hai parlato? L'hai conosciuta e poi lui, come si chiama, cosa fa? Insomma, da dove è uscito, questo qui?» Mollò le mani e si abbandonò contro lo schienale della sedia. Pronta all'ascolto.

«Marco» sorrisi. «Marco Falcioni, bello come il sole. È a New York da più di due anni, assunto da Valentino, una bella posizione con grandi possibilità di carriera.» Volevo segnare subito un punto a mio favore per vincere le sue resistenze. La posizione lavorativa di un potenziale genero era un dato sensibile per tutte le mamme. La mia non faceva eccezione, infatti notai che si stava rilassando.

«Ce n'è tanti così anche qui da noi. Te devi sempre fare diverso.» Lanciò un'occhiata fuori dalla finestra. La luce in cucina era cambiata, il cielo era nero e blu e preannunciava un temporale di fine estate. Mamma tornò a concentrarsi su di me. I suoi occhi erano calmi e benevoli.

Pensai di avere quasi superato l'ostacolo. Quasi. «Non ha la mamma. Purtroppo è morta quando lui aveva quindici anni. È stata investita da un camion. Lei andava in bicicletta, come fanno qui. Marco le era molto legato...»

«Poveretto!» interruppe. Adesso aveva dipinta in faccia un'espressione spaesata. «Non va bene crescere senza la mamma. Cosa ha fatto suo papà?»

«Niente. Non si è risposato, se è quello che vuoi sapere. Hanno fatto famiglia loro, tre uomini da soli. Se la sono cavata.» Lei scuoteva la testa e io decisi di vuotare il sacco. «Marco sa come superare le difficoltà. Ha imparato da piccolo. Quando aveva diciotto mesi ha avuto un tumore. Gli hanno tolto un rene ed è guarito. Sua mamma ha fatto di tutto e anche suo fratello. Marco mi ha raccontato...»

«È malato. Lascia stare.»

«Mamma. Cosa dici? Sta benissimo.»

«Non si può mai dire. Lascia perdere. Adesso devi stare qui con noi. Di là ci sei stata, hai provato, hai visto. Basta! Non siamo una famiglia di migranti. Tu stai qui e poi ti sistemerai. Troverai qualcuno, come tutte.» Non me l'aspettavo un discorso così e non riconoscevo mia madre. I miei non erano di larghe vedute, ma una chiusura simile...

Dentro di me cominciavano a mescolarsi irritazione e insofferenza.

«Mamma, non dire stupidaggini.»

«Porta rispetto a tua madre.»

«E tu a me. Non sono più una bambina e so quello che devo fare.»

«No, che non lo sai.» Adesso si era alzata e aveva tolto il grembiule. «Vedrai cosa dirà tuo padre. A Bea lo hai detto?»

«Tu sei la prima e l'unica che lo sa.» Mi tremava la voce. Che delusione. «Ero sicura che saresti stata contenta per me e invece dici sciocchezze.»

«Ancora! Porta rispetto, bambina» stava gridando. «E poi vuoi prenderti uno mezzo malato... Stupida! E se ti ritrovi da sola già a trent'anni? Ci hai pensato?» Non avrei mai creduto possibile sentire una cosa simile da mia madre.

Mi alzai di scatto e uscii dalla cucina. Afferrai la borsa appesa all'attaccapanni, in corridoio, e corsi fuori lasciando sbattere la porta di casa alle mie spalle. Il vento sollevava vortici di terra e foglie, cominciavano a cadere i primi goccioloni; un lampo rischiarò la mattinata, divenuta di colpo cupa come la notte. Dentro di me agiva la stessa confusione che c'era in cielo; le mie certezze, la sicurezza che mia madre avrebbe accolto il mio amore per Marco, tutto era stato spazzato via. Ero delusa, persa, sola e tanto arrabbiata da non riuscire neppure a piangere. Non avrei mai dimenticato le parole con cui mamma mi aveva colpito, anche se sapevo che non intendeva alla lettera ciò che aveva detto. Era un modo per trattenermi dentro i suoi confini, quelli di famiglia, che non erano più i miei. La mia frontiera, la mia terra e la mia casa forse stavano tutti con Marco.

Non mollai. Andai avanti a muso duro. Avevo scelto un'altra vita, con Marco sarei andata fino in fondo. Il modo di pensare del mio Paese, i limiti immaginari legati al mio essere donna, i paletti della tradizione, era tutto ciarpame che sentivo estraneo. Io non ero più la Anna che era partita per New York qualche mese prima. Il cambiamento era stato veloce, avevo fatto pulizia delle cose inutili che dapprincipio avevo accettato di portarmi dietro. Ora viaggiavo leggera ed ero in pace con me stessa.

I rapporti con i miei restarono tesi per parecchio tempo. Ogni tanto mi concedevano una tregua e in casa l'atmosfera si allentava. Forse speravano che con il trascorrere del tempo dimenticassi Marco, ma io e lui stavamo progettando il nostro futuro insieme mentre io cercavo un impiego che mi consentisse di vivere nella Grande Mela. In famiglia, quando il discorso cadeva sulla mia laurea, io ribadivo sempre che poi sarei partita e allora i malumori ricominciavano daccapo.

Arrivò il giorno in cui discussi la tesi. Avevo già in tasca il biglietto per tornare a New York, da Marco. Là mi aspettava anche un nuovo lavoro, nella finanza.

17
RITORNO A NEW YORK

Novembre 2006.

«Cosa stai facendo? Le pulizie di primavera?» Fabrizio si era sdraiato sul mio letto, io stavo pulendo il frigorifero.

«Marco, dico a te. Non usciamo stasera?»

«Non vedi che ho da fare?» Avevo accumulato un sacco di vasetti di salse e sottaceti. Molti erano scaduti, da buttare.

«Mica arriva domani, Anna. Io invece parto tra tre giorni. Te lo sei dimenticato?»

«No, ma voglio che trovi tutto pulito e in ordine.»

«Questo non ti autorizza a essere stronzo con me, cazzo.» Si era messo seduto sul letto, mi guardava di traverso. Lui aveva fatto la sua scelta: tornava in Italia per restarci e chissà tra quanto l'avrei rivisto.

«Dai, Fabri. Un po' di pazienza, poi andiamo. Io ti invidio. Anch'io vorrei tornare a casa.» Mentii per consolarlo di ciò che lasciava e forse prima o poi avrebbe rimpianto.

«Bugiardo. Non te ne frega niente. Pensi solo ad Anna. Vi vedo già sposati voi due e con prole. Vecchi insieme. Ci incontreremo durante le vacanze a Fano, sulle panchine del lungomare.»

«Sì, avremo il bastone e le dentiere.» Il frigorifero era a posto. Chiusi il sacco della pattumiera.

«Anche le nostre mogli avranno la dentiera.»

«Anna no. Lei sarà sempre com'è adesso. Dai andiamo a divertirci.»

«Che coglione. Allora, andiamo a donne?» Scherzava, gli tirai un finto scappellotto. Gli volevo bene. Sarebbe mancato a me e ad Anna, il trio si sarebbe sciolto prima del suo arrivo.

Lei ritornò in un giorno di pioggia. New York fumava in una bolla di umidità che rendeva nebbiosi anche i pensieri. Quando la baciai l'ombrello arretrò e ci infradiciammo. Fu un bene perché così non si accorse che quelle sulla mia faccia erano lacrime di gratitudine. Né io glielo avrei mai confessato.

Avevo sistemato il vecchio appartamento di Pepita meglio che avevo potuto. Vedere i suoi bagagli sparsi in giro, osservarla mentre sistemava i suoi vestiti nell'armadio, mi commuoveva. Arrivò di venerdì e passammo il fine settimana a fare l'amore. E a mangiare. Anna cucinava i miei piatti preferiti e altri che non avevo mai assaggiato, ricette della sua regione. La nostra prima domenica sera insieme, volli stupirla preparando una delle poche ricette che mi riuscivano bene: le scaloppine al limone. Le servii la pietanza, lei inspirò il profumo, prese le posate e tagliò con cura la carne, la intinse nella puccia e assaggiò. Spalancò gli occhi, stupita e non risparmiò i complimenti a quel grande chef che ero. In seguito, la furba avrebbe usato il manifesto della mia bravura in tema di scaloppine tutte le sere in cui non le andava di cucinare.

Condividere la casa ci sembrò naturale. Lei si muoveva con grazia tra i brutti mobili. Rideva con grazia, faceva l'amore con grazia. Sì, avevo proprio perso la testa per lei. Ripensavo alle mie resistenze dei mesi prima e non me ne facevo una ragione. Noi eravamo destinati.

La sera, quando ci ritrovavamo dopo il lavoro, ci scoprivamo ogni volta nuovi. Un incontro che ci emozionava come fosse stato il primo tra due innamorati. Spesso lei veniva a prendermi al lavoro e mi aspettava appena fuori del portone: «Ciao, amore. Ti posso abbracciare?» Mi baciava, furtiva. «Scappiamo. Non dobbiamo farci vedere.» Fingeva di dover rispettare le regola di quando lavoravamo tutti e due da Valentino, dove l'amore tra colleghi era sconsigliato. Giocava, recitava, mi faceva piccole sorprese. Uscivamo spesso con gli amici, ma ci piaceva anche stare soli.

Per lei, lavorare in un ambiente come quello della finanza, soggetto quasi esclusivamente al predominio maschile non era facile, ma Anna sembrava avere trovato un suo equilibrio. Ogni tanto però ne pagava lo scotto.

Una sera avevamo scelto di uscire a cena noi due soli. Avevo notato il suo malumore e per questo l'avevo portata in uno dei nostri locali preferiti, da Max SoHa, a due passi dalla Columbia University e da casa nostra; costava poco e si mangiava bene. Anna aveva aperto bocca solo per ordinare un'insalata di finocchi e rucola, da mangiare dopo un antipasto di prosciutto e mozzarella, io avevo optato per i maccheroni alla siciliana.

«Che mondo di infami» aveva sbottato dopo un po' che cincischiava l'insalata. Non aveva ancora toccato cibo, si era limitata a un bicchiere di vino che le aveva sciolto la lingua.

«Cos'è successo? Finora non ti ho chiesto niente, ma ho capito che c'è qualcosa che non va. Dai, Anna, parla.»

«Fino a oggi credevo di essere come gli altri, una di loro. Mi sono sforzata. Guardami, anche adesso ho addosso la loro divisa e dio sa quanto mi pesi portare questi odiosi tailleur neri.» Parlava in fretta mangiando le parole.

«Calmati. Bevi un goccio. Mangia qualcosa e poi prosegui. Non ci corre dietro nessuno.» Non l'avevo mai vista così agitata.

167

Bevve un sorso di vino. «Oggi pomeriggio stavo parlando al telefono con un cliente. Gli stavo illustrando la nostra offerta, lo facevo con il tono giusto, professionale. Lui mi incalzava, io andavo per punti perché tutto fosse chiaro. Quell'altro era nervoso, aveva fretta.» Rimase in sospeso per qualche secondo e riprese a voce un po' troppo alta. «Fretta di cosa, poi?» Mi guardai attorno un po' a disagio, ma nessuno sembrava badare a noi. Poi lei riprese. «A un certo punto mi ha interrotto, diceva: "Fatti capire, fatti capire!" Ho ricominciato a parlare con calma e lui, con voce isterica, mi ha apostrofato dicendo: "Non voglio parlare con una dannata immigrata". Ti rendi conto?» Mi accorsi che il suo mento tremava.

«Anna, hai incontrato un cretino. Non ci pensare.» Cercavo di consolarla, ma ero furente. Non sopportavo che avesse dovuto subire un'umiliazione.

«Il mio accento. Si sente ancora che sono straniera. Devo perdere l'accento. Quelli dall'altra parte del telefono non vogliono saperne di avere a che fare con una donna e per giunta con l'accento straniero. Non si fidano.»

«Anna, per uno così ce ne sono cento che non fanno caso al tuo accento e si fidano di te.»

«No. Tu sei un uomo, non capisci. Comunque l'accento lo perdo. Questo è il meno. Ma sono stufa. Non ne posso più.» Dopo lo sfogo aveva iniziato a mangiare. Riuscimmo perfino a chiudere la cena con qualche risata, il peggio era passato. Volle pagare lei il conto e lasciò una mancia esagerata alla cameriera messicana.

Ogni giorno eravamo più legati. Nelle ore in cui restavamo lontani provavamo nostalgia l'uno dell'altra. Gli amici ci guardavano con affetto, simpatia, ironia, qualcuno anche con un pizzico di invidia.

«A Natale andiamo a casa. Tu a casa mia e io a casa tua.» Eravamo nella metro all'ora di punta, pigiati dentro la folla del venerdì sera. Il mio tono indicava una decisione presa. Anna sembrò sorpresa all'inizio, poi ricambiò il mio sorriso.

Così, quel dicembre del 2006 facemmo la prima tappa nel mio paesone adagiato vicino al mare. Mio padre e mio fratello si innamorarono subito di lei. Anche Sofia. Ebbi l'impressione che fossero destinate a diventare amiche.

Una mattina presto sorpresi Anna in piedi nel tinello davanti alla foto di mia madre, un ingrandimento di quella che portavo sempre con me.

«Cosa mi dici di lei?» le chiesi.

«Ha uno sguardo così malinconico. Stringe il cuore. Una bella donna. I capelli cotonati, la faccia rotonda e il vestito stretto in vita, questa bella gonna scampanata. Come usava allora.» Adesso indicava un'altra foto in cui mia madre era in piedi in una posa rigida, un po' buffa. «Assomiglia a certe foto di mia mamma della stessa epoca.» Rimase in silenzio per un po'. «Chissà che strazio ha vissuto quando ti sei ammalato.»

Anna si era intristita, ma durò solo un momento. Si voltò a baciarmi. «Qui è tutto fermo, proprio come a casa mia. Scommetto che i soprammobili sono gli stessi che aveva scelto Cristina. Neppure gli avrete cambiato di posto. Senti gli odori mescolati di stantio e di fresco e di mele? Riconosco anche il silenzio, un silenzio che mi ero dimenticata.»

«Non siamo più abituati. A nessuna ora del giorno e della notte c'è questo silenzio a casa nostra.» New York pulsava senza alcuna interruzione. La quiete non esisteva. Riguardo gli odori, quelli erano di tutt'altra natura.

«Mi piace la tua famiglia, ma non potrei vivere qui. Neanche a casa mia, con i miei.» Sospirò, ruotò su se stessa a braccia aperte, i capelli che seguivano il movimento del corpo come una bandiera. Le afferrai le mani e la costrinsi a sprofondare con me nel vecchio divano marrone.

«Qui sono rimasti indietro. Al massimo sono interessati a conservare quello che hanno. Anche per questo ce ne siamo andati.» La abbracciai. «Noi andiamo avanti. Ogni volta che torneremo scopriremo che qui niente è cambiato. In fondo ci fa perfino comodo trovare le nostre vecchie cose così come ce le ricordiamo.»

«Non so» disse lei. «Aspetta di conoscere Sveva, mia madre.» Sapevo che Anna temeva questo incontro, non mi aveva nascosto quanto i suoi fossero contrari alla nostra relazione. Neppure io potevo prevedere cosa sarebbe accaduto.

«Tua madre mi adorerà. Tutte le madri delle mie fidanzate mi adorano.» Scherzavo per stemperare la sua ansia. «In ogni caso poi andiamo in montagna. Ci rilasseremo.»

«Almeno dimenticheremo le rogne, se dovesse andare male.» Lei mi baciò dietro l'orecchio.

«Invece sono sicuro che andrà bene.» Anna, così forte e decisa, temeva le tensioni in famiglia. In fondo la capivo. Avevo fatto spesso da cuscinetto tra mio padre e mio fratello. La nostra famiglia aveva patito l'assenza di una donna, vivevamo di sentimenti ruvidi, mai dimostrati. I nostri rapporti erano aridi perfino di parole, poi era arrivata Sofia e molto era cambiato. Perfino mio padre si era addolcito, a modo suo.

La campagna veneta sfilava fuori del finestrino. Anna non aveva più aperto bocca nell'ultima mezz'ora. Io facevo osservazioni sul panorama e lei mi rispondeva a monosillabi. Il cancello di casa sua era già aperto, segno che eravamo attesi. Nello stesso momento in cui scendemmo dall'auto, comparve una donna sulla soglia della porta di casa.

«Bene arrivati» scandì, in tono asciutto. Io mi diressi verso di lei indossando il mio migliore sorriso.

«Mamma, questo è Marco. Lei è Sveva.»

Sveva ci baciò e abbracciò Anna a lungo. «Venite dentro. Il caffè è pronto. Avete fame?»

«Grazie, signora. Un caffè non si rifiuta mai. In quanto alla fame...»

«Oh, è solo una torta di mele. La faccio sempre.» Capii che voleva tenermi a distanza.

«Certo che se Anna ha imparato da lei a cucinare, la torta la accetto volentieri. Sua figlia mi vizia. È una grande cuoca.» Anna taceva mentre sistemava il giaccone e la borsa sull'attaccapanni all'ingresso. Io seguii subito Sveva in cucina.

«State in un posto magnifico» dissi. «Una bella casa. Il giardino lo cura lei?»

«Un po' io e un po' mio marito. Tra poco arriva. Siediti. Anche tu, Anna.» Più che un invito era un ordine. Ero sotto esame. Avevamo in programma di soggiornare lì per una settimana, come a casa mia. Decisi che dovevo giocare subito le mie carte, altrimenti la nostra permanenza sarebbe stata solo fonte di contrasti. «Anna, non mi avevi detto che tua madre era così giovane. Io faccio sempre fatica a inquadrare l'età delle mamme.» Adesso parlavo rivolto a Sveva. «O le immagino giovanissime, con un neonato in braccio o più in là, con i nipotini attorno.»

«Prendi la torta.» Sveva appoggiò sul tavolo un vassoio con tre tazze di caffè e due piattini con sopra delle fette enormi. «Lo so che non hai la mamma.» Aggiunse, addolcita. Non risposi, presi in mano la tazzina di caffè e cominciai a soffiare piano sul liquido nero, bollente. Non lo feci per calcolo; lì, tra la madre e la figlia, che lei tentava di difendere da una minaccia che in realtà era immaginaria, mi venne il magone. L'avrei voluta anch'io una mamma così. Anzi, avrei voluto che mia madre fosse con noi. Mi sarebbe piaciuto vederla chiacchierare con la madre di Anna. Due donne che si preoccupavano del nostro futuro. Forse fu quel silenzio, protratto troppo a lungo, perché anche un minuto può essere infinito in certe occasioni, o forse Sveva percepì il mio disagio; da quel momento iniziò ad ammorbidirsi. Se ne accorse anche Anna.

Ci accompagnò di sopra. Anna ebbe un attimo di esitazione quando arrivò in cima alle scale.

«La strada la conosci» disse Sveva. «Marco, tu dormi nella camera di Raffi, il fratello di Anna. Più tardi arriverà anche lui. Noi dormiamo lì» aggiunse. La camera dei genitori di Anna faceva da spartiacque alle nostre. «Ti va bene?» aggiunse.

«Benissimo, signora, grazie.» Intanto avevo aperto la porta della stanza. Oltre la finestra c'era una vigna immersa in una nebbiolina sottile. «Che bello! Lo dico sempre ad Anna che non si vive di solo cemento.» Sveva sorrise, non aveva ancora finito di prendermi le misure.

«Tirate dentro le valigie e sistematevi. Anna, mi dai una mano in cucina?»

«Vengo subito.»

«Fagli vedere le cose. Il bagno. Vedi se ha bisogno. Io ho messo tutto, ma voi americani avrete altre abitudini.»

«Ma no, signora. Io sono italiano, marchigiano di famiglia e veneto preso, per parte della morosa.» Finalmente mi elargì un sorriso vero: «Basta con questa *signora*. Chiamami Sveva.» Alle sue spalle la faccia di Anna si illuminò.

18
IL COCCO DI MIA MADRE

Marco era diventato il cocco di mia madre, il suo terzo figlio. Si erano conquistati a vicenda in una manciata di ore.
Un altro amore a prima vista cui Marco si era abbandonato
senza alcun ritegno. Ero felice perché li amavo tutti e due e
anche perché, per come si erano messe le cose, avremmo
avuto vita facile rispetto a un sacco di questioni, però ogni
tanto mi pesava.

«Aiutami, Anna. Devo ancora stendere la pasta delle lasagne. Vedi di controllare il sugo.»

«Ancora lasagne.»

«A Marco piacciono, povero ragazzo.»

«Perché, povero ragazzo? Io non ne posso più. Anche papà
e Raffi sono stufi delle lasagne.»

«Decido io quel che si mangia. Basta.» Sulla porta della cucina comparve lui, Marco, con il solito sorriso smagliante sulle labbra; era imbozzolato nella felpa rossa della Ferrari, regalo di Natale di suo fratello.

«Le mie signore dei fornelli preferite, buongiorno.»

«A me non mi incanti» dissi io.

«Anna, amore mio, fai la brava.»

«Fai come dice Marco» ribadì mia madre. «Le lasagne come le mie, lei non te le fa di certo.» Di nuovo si era rivolta a

Marco. «Su tante cose si è fatta influenzare dalla televisione, sai l'Antonella Clerici, *La prova del cuoco*? Per lei è dio in terra, anzi in cucina.»

«Cosa c'entra. Mica guardavo solo la Clerici.» Marco ci osservava divertito.

«Certo che no. Dopo l'incidente sei sempre stata appiccicata anche alla Licia, quella del Kilimangiaro.»

«Ah sì?» Marco aveva montato un'aria sorniona. Io lo fulminai con lo sguardo, ma lui decise di andare avanti. «E cos'altro ha imparato dalla tivù?»

«Dalla Colò le è venuta la mania dei viaggi, questo è sicuro.» Impossibile contenere mia madre.

«Cosa c'entra.» Cercavo di dire la mia. «Mica stavo appiccicata allo schermo tutto il giorno. In ogni caso non potevo camminare, ricordatevelo. Ho cominciato ad andare in rete.»

«Sì, le era venuta la mania dell'Internet.» Chissà perché, Sveva aveva preparato dei tramezzini per Marco. Spinse il piatto verso di lui, accompagnandolo con un sorriso. Marco ricambiò e fece un cenno con il capo in segno di soddisfazione, poi prese un primo assaggio. Ormai tra loro c'era un'intesa perfetta, non avevano bisogno di parlarsi.

«Ho fatto un sacco di corsi online: arte, storia, perfino interior design. Ho imparato tutto sulla rivoluzione cubana, sulla Perestroika e sulla guerra in Vietnam. Tutta roba che a scuola non ti insegnano. Mi sono perfino appassionata agli Impressionisti; hai presente Monet e la sua Giverny? Un giorno ci andremo e andremo anche in Normandia per vedere la luce, i colori che li ispiravano. Magari, quando andremo in viaggio di nozze...» Scherzavo, volevo rompere il cerchio tra quei due e ci riuscii. Per un momento smisero di indossare la maschera di sufficienza nei miei confronti, che un po' mi irritava. Ero riuscita ad avere tutta la loro attenzione e decisi di lasciarli lì, a macerare, per andare a fare due passi da sola.

Mi veniva da ridere, ero felice ed ero scocciata di assistere al tubare di genero e suocera. Per fortuna, di lì a qualche giorno saremmo partiti per la montagna, avremmo inaugurato il 2007 a Innsbruck, l'occasione giusta per conoscere gli amici di Marco. Sarebbero stati della partita anche Matteo e Sofia. Fu un Capodanno che mi resterà sempre nel cuore. Per la prima volta ebbi modo di osservare Marco insieme ai suoi amici. Mi sembrò più sciolto di quanto non fosse a New York; qui scoprii che era un gran compagnone con la battuta sempre pronta, disinvolto, simpatico. Sapeva come prendere chiunque con garbo, senza mai oltrepassare la misura. La sera, quando era ora di dormire, mi riempiva di coccole e anche durante il giorno, magari mentre stava facendo una delle imitazioni di Mourinho o Berlusconi per cui andava famoso, non mancava mai di lanciare un'occhiata nella mia direzione. Uno sguardo che era una carezza.

Io e Sofia eravamo le uniche del gruppo a non sciare. Nelle ore di luce giravamo per il centro storico di Innsbruck oppure ci fermavano nelle baite o visitavamo i paesini vicino alle piste, in attesa che la compagnia tornasse. Marco si lanciava in imprese spericolate con lo snowboard, allora non erano in tanti a usarlo. Scoprii che, in veste di sportivo, gli piaceva farsi notare anche per l'abbigliamento: una tuta rossa corredata da un coloratissimo berretto di lana a punta con due vistosissimi pon pon. Sofia l'aveva soprannominato il folletto. Non mi ero sbagliata su di lui, era un'anima sorridente e rendeva manifesta la sua positività usando i colori negli accostamenti più improbabili. Ovunque tranne che in ufficio.

***

Ho un ricordo nitido della mattina in cui decisi di sposare Anna. Eravamo a casa nostra, a New York, e mi stavo lavando i denti, un'operazione cui per abitudine dedicavo grande cura. Ero al passaggio del filo interdentale quando lei arrivò da dietro. Canticchiava la nostra canzone, *Il mondo* di Jimmy Fontana, e si fermò per stamparmi un bacio leggero sulla spalla, poi sparì oltre la porta. Sembrava una cosa da niente, un bacetto di quelli che le ragazze spargono in giro a piene mani: al marito, all'amica, al nipotino, ai genitori... Un contatto senza importanza e poi non era certo la prima volta che accadeva. Anna era una baciona e qualche volta mi irritavo quando mi ritrovavo con il suo rossetto sulla guancia o sul naso. Non capivo se sbagliasse la mira a bella posta.

Quella volta il suo bacio era stato una scossa. Dovevo assicurarmi di averla intorno ogni mattina, la mia farfalla canterina. Lei che si inventava sempre qualcosa di nuovo per sorprendermi.

«La colazione è pronta. Dai, che facciamo tardi in ufficio.» Anna modulò l'annuncio sul refrain della canzone.

«Eccomi.» Nel vaso sul tavolo c'erano tre calle bianche; contrastavano con il grigio di una giornata che, oltre la finestra, prometteva pioggia. Mentre aprivo il vasetto della Nutella, assaporavo gli effetti che avrebbe avuto la decisione appena presa.

«Perché sorridi così?» domandò lei.

«Così come?»

«Così. Più del solito. Sono io o è la Nutella che ti fa questo effetto?» rideva. «La prego, mio signore, mi dica che sono io a farle questo effetto. Non posso competere con la crema di nocciole.»

Ah, se avesse saputo cosa avevo in serbo per lei. Amore, protezione, cura, una casa per noi e i bambini, viaggi, sicurezza. Tanti anni, uno infilato nell'altro, una catena. Saremmo stati insieme per sempre come adesso. Una bella promessa modellata sulla sbirciatina che avevamo dato alla felicità vera, quella che ti fa sentire forte, invincibile e ti concede il miracolo di addormentarti e svegliarti insieme al tuo amore.

Da Pepita stavamo stretti e io volevo il meglio per Anna, così ci trasferimmo in un appartamento a Harlem. Ogni mese versavamo l'affitto, e non era poco, mi sembrava di sprecare i soldi. Cominciai a coltivare un'idea un po' folle: comprare casa.

«Qui a New York!» Anna era strabiliata. Ci eravamo fermati in uno Starbucks per un caffè. «Come ti viene in mente?»

«Ho fatto i conti. Ce la possiamo fare.»

«Mah. E dove, poi?» Era disorientata, aveva perfino dimenticato la sua bevanda.

«Mi sono guardato in giro. Insomma, mi sono fatto un'idea di come gira il mercato immobiliare.»

«Tu sei un megalomane.» Adesso rideva. «Vuoi davvero far girare l'economia alla grande. La nostra di certo. E dove dovremmo comperare casa? Sulla Quinta?»

«Certo è un grosso impegno, ma ho calcolato tutto. Ci sono diversi quartieri in fase di espansione, adesso i prezzi sono ancora abbordabili. Più avanti, quando si saranno trasformati e decolleranno, non so.» Tornando verso casa le diedi i dettagli del mio studio. Mano a mano che parlavo vedevo crescere la sua attenzione. Anna aveva una passione per il mercato immobiliare, era sempre aggiornata sui cambiamenti in atto nelle varie parti della città, spesso l'avevo scoperta a fantasticare sulla colonna degli annunci di compravendita case. Tutti punti a mio favore. Non faticai granché a convincerla.

«Ma l'affitto che paghiamo ci stende.» Tirò un sospirone.

«Risolto.»

«Come?»

«Molliamo Harlem. Facciamo un sacrificio per un po'. Torniamo da Pepita.»

«Ma...» Aveva avuto un attimo di esitazione. «Non sappiamo se ci può riprendere. Avrà un altro inquilino.»

«A posto. L'ho già chiamata. Dal primo del prossimo mese possiamo rientrare da lei.» Vidi la sua faccia trasformarsi, gli occhi più grandi, le narici dilatate. Si fermò in mezzo alla strada, piegata in due. Quando si tirò su stava sghignazzando, ogni tanto prendeva fiato e gridava «Mi hai fregata!» poi ricominciava a ridere. «Con la scusa di risparmiare mi riporti da Pepita?»

«Sei disposta a farlo?» Adesso ero serio. «Sarebbe un tornare indietro, almeno per un po'.»

Mi mise le braccia al collo: «Cosa credi? Pensi che io possa spaventarmi per così poco?» Mi baciò sul naso, come faceva spesso, impiastrandomi di rossetto. «Domani comincio a imballare le nostre cose.»

Anna d'acciaio non temeva niente. Era la donna giusta per me, me ne aveva appena dato la prova.

Insieme saremmo andati lontano.

19
MILLION DOLLAR BABY

New York, 2008-2009.
Dal giorno in cui decidemmo che avremmo comprato casa, dedicammo ogni ora libera alla ricerca di un appartamento che ci potesse andare bene. Il sabato e la domenica programmavamo il giro delle visite alle abitazioni in offerta attraverso le agenzie immobiliari. Affrontavamo questo impegno con serietà, ma ci divertivamo anche molto. Ogni tanto veniva con noi qualche amico e poi finivamo per chiudere la serata cenando in un locale oppure al cinema o a teatro.

Discutevamo continuamente delle zone da cui partire per le ricerche, spesso i nostri sogni si infrangevano contro i limiti del magro budget a disposizione.

«Dai, Anna, mettiamocela via. Il West Village è fuori portata. Non ce la possiamo fare.» Marco ripassava sul tablet gli annunci di vendita mentre io apparecchiavo la tavola per il pranzo. Era tardi, eravamo rientrati da poco e fuori diluviava.

«Accendi il televisore, per favore. Sto per scolare la pasta. Hai ragione, però sono innamorata di quelle case a schiera. Hai visto che meraviglia i mattoncini rossi, le finestre blu e nere?» Marco aveva ragione. Non solo il West Village, ma anche tutta Manhattan sotto la 96ma strada erano troppo cari per noi.

«Vedrai che la troviamo presto, la casa giusta.» Mi abbracciò da dietro, strinse la mano con cui impugnavo il cucchiaio di legno e mescolammo il ragù insieme per qualche secondo, poi lui tirò un sospiro. «Adesso restringiamo la ricerca su Harlem e nell'area appena fuori Manhattan. Nel Queens ci sono due zone interessanti, Astoria e LIC. Stanno costruendo, prima o poi dovremo andare a vedere» disse mentre si sedeva. Io misi in tavola i piatti, fumanti.

«E Brooklyn? Non dire niente» gli suggerii mentre cercava di parlare con la bocca piena di spaghetti. «Lo so che Williamsburg è già troppo caro, ma ci sono anche Greenpoint e Dumbo.» Marco mi fece un cenno con la mano: il televisore ci stava portando dentro casa un pezzo di Italia con *Che tempo che fa*; per noi era un rito seguire il programma. Continuammo a mangiare in silenzio, ascoltando Fabio Fazio che presentava Baglioni. Quella volta però ero distratta. In testa confondevo quartieri e stabili: Harlem con i viali alberati, le case a schiera con la base di pietra, i piccoli giardini, i gradini che salivano verso il portone con a lato le finestre a saliscendi. Sognavo a occhi aperti. Avremmo potuto prendere un alloggio distribuito su due piani, affittarne uno e ammortizzare il costo del mutuo. Restava sempre il problema delle spese di ristrutturazione; molto del fascino di quelle case stava nel fatto che avessero tutte una storia alle spalle. Sapevo che Marco preferiva acquistare un'abitazione nuova, magari in costruzione. Mi arrivò un pugno leggero sul braccio.

«Oh, bella. Dove sei?» Marco rideva. «Ma non stai seguendo la Littizzetto? Oggi è fortissima.»

«Sto ancora pensando alle case...»

«Certo che quando ti fissi. Troveremo quella giusta, prima o poi.» Riportò l'attenzione sulla trasmissione. «Ma la senti?» Sghignazzava, sguaiato. «Quanto sono bravi, questi due.» Intanto era partita la sigla di chiusura.

Il tira e molla tra me e Marco, con me che puntavo alle case che mi facevano più sognare e lui che mi riportava alla realtà del *troppo caro per noi*, durò parecchio. Intanto i mesi passavano, noi riducevano le spese all'osso per mettere via i denari necessari a un acquisto così impegnativo e pensavamo a trovare nuove, possibili fonti di reddito. Tanti sacrifici un po' mi pesavano, volevo anche divertirmi, e ogni tanto mi lamentavo, ma lui non cedeva, però cercò di motivarmi. Per incentivarmi a contenere le spese arrivò a inventare un gioco con regole precise e risultati da registrare su un file di Excel. Lo schema prevedeva che raggiungessi degli obiettivi di risparmio, fissati da lui. Più risparmiavo, più grande sarebbe stata la ricompensa finale: un gioiello, non troppo impegnativo per via del budget comunque ridotto, che avremmo acquistato durante le vacanze di agosto nella gioielleria di Fano dove eravamo già stati altre volte. Il premio sarebbe stato di mio gradimento, ma che fatica.

Quello che facevamo ogni santo giorno era giocare con il nostro personale Monopoli, con i palazzi che più ci piacevano e le nostre personali strategie. Marco era un giocatore accorto, io puntavo più sull'istinto. Sentivamo che tutto era possibile. Da qualche parte la nostra casa ci stava già aspettando, ma dove?

«Ti piace Long Island City?» Marco mi stava telefonando dall'ufficio. «Ti ricordi che te ne avevo parlato? Però non ci siamo mai andati. Ho scoperto adesso che Alvin conosce benissimo LIC.»

«Bene. E allora?»

«È a una fermata da Manhattan. Ci andiamo oggi, in pausa pranzo. Viene anche Alvin, ci fa da guida.» Così fu e ci innamorammo subito del quartiere, del grande parco sul lungofiume che arrivava fino alla fermata dei Water Taxi. C'erano molti cantieri e in breve trovammo la soluzione che faceva per noi. Eccitati ed entusiasti, versammo la quota d'acconto, avremmo saldato il resto con un mutuo. Era previsto che la casa sarebbe stata pronta di lì a sei mesi.

Eravamo ambiziosi, questo è certo. Vivevamo in bilico tra la realtà e la prospettiva fantasiosa, ma non impossibile, di raggiungere un traguardo che ci potesse cambiare la vita. Spendevamo molto del nostro tempo in analisi di progetti non del tutto sconclusionati, che avrebbero aperto mondi per noi ancora inaccessibili.

Insomma, sognavamo a occhi aperti.

«La formula del successo si riassume in tre parole: lavoro, lavoro, lavoro.» Marco era pragmatico perfino quando faceva castelli in aria.

«Ah, Ah. Stasera sei impossibile. Guarda che io voglio anche divertirmi.» Gli tirai un orecchio, lui si spostò di lato per farmi mollare la presa. Era seduto al tavolo in mezzo ai resti della cena presa al volo dal cinese. Stava osservando un grafico su Excel e parlava serio, ma allo stesso tempo mi prendeva in giro. Infatti, imitava Crozza che imitava Berlusconi, la sua esse soffiante, il suo bofonchiare.

«Dai, Anna, ti conosco. Tu sei più ambiziosa di me.» Avevo iniziato a sparecchiare e lui mi costrinse a sedere. «Vieni qui. Facciamo un piano per il futuro.»

«Non mi serve. Il mio programma è semplice: passare la vita con te. Tutta la vita.» Invece che sulla sedia, mi ero accomodata sulle sue gambe.

«Noi due abbiamo tanto in comune.» Versò l'ultimo goccio di vino bianco.

«Sì. Siamo belli, intelligenti, soprattutto modesti» dissi, ironica. Puntai il mio indice sotto il suo mento e lo costrinsi ad alzare la testa in una posa buffa, di comando. «Ci amiamo e vivremo felici e contenti. Qui c'è la mia favola.» Marco mi sorrise e mi diede un buffetto sulla guancia. Capii che non avrei avuto quel che volevo. Almeno, non subito. Era una di quelle volte in cui, diventato serio, entrava nella parte del giocatore d'azzardo. Piaceva anche a me giocare, io amavo il poker, lui puntava più in alto, scommetteva sul nostro futuro. Sfilacciai il suo ciuffo ribelle tra le mie dita, una carezza a rastrello e lui, come sempre, respinse la mia mano. Per i capelli aveva una sensibilità particolare.

«Sei sempre lo stesso.» Tornai a scompigliargli la chioma con più energia. «Mi ricordo la tua foto da apprendista bagnino: costume rosso a pantaloncino, zoccoli di legno e gli occhiali modello Prada a mo' di cerchietto.» Lui cercava di liberarsi di me che gli pastrugnavo la testa.

«Dai, smettila. E poi che c'entra? Era tanto tempo fa.»

«Per fortuna non ti conoscevo ancora. Non ti avrei neanche considerato con i capelli schiariti dal sole, sapendo che rinforzavi l'effetto con lo shampoo alla camomilla. Un vero tipo da spiaggia alla fanese. Va là, ragass!» Adesso ridevamo tutti e due.

«Siamo ragassi di provincia» disse, sibilando, poi assunse un tono solenne. «Veniamo da famiglie modeste» riprese. «Siamo i piccoli di casa e i nostri genitori con noi hanno mollato la presa. Sono diventati permissivi e ci hanno concesso cose che i nostri fratelli più grandi non hanno avuto.»

«Dove vuoi arrivare?» Non avevo voglia di sermoni, continuavo ad avere in mente altro. Cominciai a baciarlo sul collo. Bacetti piccoli, calcolati.

«Noi abbiamo degli obiettivi.» Marco andava avanti, imperterrito. «Vogliamo avere un buon lavoro, stare bene.»

«Non capisco dove...» Decisi che tanto valeva spostarmi sul divano.

«Vai a prendere quello che vuoi avere.» Pensai che gli effetti del vino iniziavano a farsi sentire. La bottiglia di bianco era ancora sul tavolo. Vuota.

«Certo.» Avevo deciso di assecondarlo.

«Il sogno, il sogno americano. Il nostro. Cosa ne dici di diventare milionari entro i trent'anni?» Si era alzato e stava rovistando in un cassetto. Portò un fascio di carte sul tavolo e cominciò a riordinarle.

«Come no. Sono d'accordo. Anzi, sono certa che... Mi dici cosa stai facendo?»

«Vai a prendere il tuo libretto degli assegni. Scommettiamo.»

«Cosa?» Adesso lui stava compilando un assegno della Bank of America. Io cercavo di sbirciare, ma si ritrasse.

«Allora? L'hai preso?» ripeté.

Corsi in camera da letto, frugai nel cassetto del comodino.

«Eccolo.» Ero tornata in soggiorno sventolando il carnet. «E adesso?»

«Compila un assegno intestato a te stessa.»

Cominciai a ridere, pensando al saldo del mio conto corrente in quel momento. «Di quanto?»

Marco mi allungò il suo assegno: «Come questo» disse. La cifra indicata era di un milione di dollari.

Trattenni il fiato. Era elettrizzante anche solo guardare un assegno da un milione di dollari, nonostante sapessi che era scoperto. Ero entrata nel gioco anche se non conoscevo ancora tutte le regole.

Aprii il mio libretto e cominciai a scrivere. «E poi, cosa succede?» Ero seria.

«Scommettiamo che al compimento dei trent'anni almeno uno di noi potrà incassare questo assegno?»

«Oh, Marco.» Avrei voluto dargli del pazzo, eppure... qualcosa mi trattenne. Firmai il mio assegno, glielo sventolai davanti senza dire niente. La sua sfida mi aveva procurato un brivido, ma passò subito.

«Adesso dobbiamo benedire gli assegni.» Lui prese dal frigorifero una bottiglia di prosecco di Valdobbiadene.

«Aspetta. Ci vogliono i bicchieri giusti» dissi mentre cercavo quelli che avevo comperato al mercatino dell'antiquariato di Williamsburg.

Sancimmo il nostro patto, poi riponemmo gli assegni ciascuno nel proprio portafoglio. Sistemai il mio nello stesso scomparto in cui tenevo il portafortuna: una fototessera di Marco con i capelli tagliati a scodella.

«Mi raccomando, Principessa. Portalo sempre con te. Guardalo ogni tanto, quando sei arrabbiata o triste per ricordarti di non mollare e anche quando sei contenta. Di sicuro sentirai di potercela fare.» Marco era matto, a volte audace e negli affari perfino un po' cinico. Ed era anche contagioso.

«Tu pensi che sia possibile?» sussurrai.

«Sì. Dobbiamo avere un piano, te l'ho detto. Tutto parte da lì. Dobbiamo fare i giusti investimenti. Iniziamo da cose piccole, poi ci allarghiamo.» All'improvviso mollò la tensione e Marco scoppiò in una risata fragorosa. «Dai, per stasera basta.» Ripose il suo portafoglio e lo stesso feci io.

«Va bene i sacrifici per comprare casa, ma una vacanza possiamo concedercela?» mancava poco ai festeggiamenti per il giorno dell'Indipendenza, il 4 luglio. Io avevo voglia di mare.

«Dici che è il caso?» Marco era sdraiato sul divano, aspettava che io finissi di prepararmi. Avevamo in programma di uscire a cena con alcuni amici.

«Io dico di sì. Abbiamo lavorato tanto, siamo stanchi. Non andiamo lontano, magari in Messico. Una cosa tranquilla. Sono pronta.» Uscii dal bagno. «Mio signore, le piaccio?» Feci una giravolta che terminò in un inchino davanti a lui.

Marco si mise a sedere e mi abbracciò le gambe per poi risalire sotto la gonna dell'abito di lino bianco magnolia. Sospirò: «Mia principessa, lei mi piace così tanto che le concedo la vacanza. Messico sia.»

Di lì a dieci giorni eravamo sdraiati in riva al mare di Tulum, cotti dal sole, la pelle un po' arrossata nonostante ci fossimo impiastrati per bene di crema protettiva. Erano le sei di sera.

«Andiamo? Ti offro l'aperitivo.» Cominciai a raccattare i cappelli, i teli da bagno, la mia borsa.

«Aspetta.» Marco recuperò la camicia che aveva sempre tenuto in grembo, una stranezza di quel pomeriggio. La tastò e poi la infilò con cautela.

«Che significa?»

«Che tengo alle mie cose. Non mi va di andare in giro stropicciato.»

«Ah, ah! Il signor precisino.»

Lui intanto era pronto: «Prego, Principessa». Si inchinò tenendo la mano sul cuore e da lì non la mosse più. Lo notai quando arrivammo al barettino dove insistette perché ci sedessimo a un tavolino d'angolo, defilato, con la vista mare ridotta a uno spicchio scalcagnato.

«Perché qui? Sediamoci più al centro.» Mi stavo già dirigendo altrove, ma lui mi tirò per il braccio.

«Va bene qui. Fidati.» Era un ordine.

«Non stai bene? Perché tieni la mano premuta lì? Ti fa male?» Io mi stavo preoccupando e lui aveva un sorriso idiota stampato in faccia.

«Allora, Marco?» Arrivò il cameriere con i Margarita.
«Li ho ordinati entrando.» Io continuavo a guardarlo senza capire. Lui scivolò giù dalla sedia, piegò un ginocchio e sfilò dal taschino della camicia un kleenex accuratamente piegato e ripiegato. «Anna, mi vuoi sposare?» Esterrefatta lo vidi aprire con cautela il fazzoletto di carta ed estrarne qualcosa. «Il cofanetto è in camera, era troppo grande da portare appresso.» Si scusò mentre mi infilava l'anello.

Il 19 giugno del 2010 ci sposammo. Fu il matrimonio dei miei sogni in un castello in Toscana, con tutti i parenti e gli amici vicini.

Per la cerimonia, Marco indossava uno smoking nero e io un abito con un velo bordato di pizzo lungo sette metri; ambedue le mise erano firmate Valentino, regalo di nozze della maison. Fu tutto perfetto come furono perfetti, anche se convulsi, i mesi precedenti la cerimonia. Avevo avuto la favola e c'erano tutti i presupposti perché non dovesse finire mai.

Ricordo gli istanti che passammo soli in chiesa, una volta terminata la cerimonia, prima di uscire e mescolarci agli invitati. Le note della musica di *C'era una volta in America* di Ennio Morricone erano ancora nell'aria, mamma mi sistemava il velo lunghissimo, Marco mi strinse la mano e guardò mia madre. «Grazie, Sveva. Grazie di tutto. Avrei voluto avere qui mia madre, oggi. Per fortuna ci sei tu.» Ci guardammo tutti e tre, commossi, poi baciai *mio marito* e lo tenni stretto, senza dire niente.

Uscimmo sul sagrato, nella baraonda dei festeggiamenti, e fummo inondati dal riso e dalle bolle di sapone. Di lì a poco dietro di noi si chiuse il portone della chiesa. La Fiat 500 con cui ero arrivata ci aspettava per portarci al ricevimento.

Un giorno in paradiso.

Ma avevamo mille progetti in cantiere e, tornati a New York, riprendemmo il lavoro, le uscite in compagnia al cinema o a teatro, qualche viaggio talvolta con gli amici che ci venivano a trovare dall'Italia. All'occorrenza davamo una mano a qualche giovane che ricalcava le nostre orme e tentava la scalata alla vita fuori dalla propria terra. Tutti avevano un sogno, forti del proprio valore o, in alcuni casi, deboli e basta; l'incoscienza e la superficialità li spingevano ad affrontare un rischio non calcolato. Tuttavia nella Grande Mela c'era una bella rete di supporto, eravamo in parecchi a offrire aiuto a chi si fosse fatto avanti nel modo giusto, senza il paracadute della raccomandazione, con lo stesso entusiasmo che avevamo avuto noi nell'accettare la sfida di farcela da soli.

20
LONG ISLAND CITY

Quel sogno che avevamo accarezzato a lungo, abitare a LIC, Long Island City, era un traguardo raggiunto al prezzo di molti sacrifici. Finalmente era arrivato il momento: io e Anna stavamo per trasferirci a casa nostra.

«È fatta. Non mi sembra vero.» Ero sdraiato sul letto, sbracato nella mia posa a *quattro di spade*, non perché fossi stanco e di certo non mi sentivo Cristo in croce. Anzi. Incominciai a ridere facendo sussultare l'iPad che avevo poggiato sul petto.

«Faresti meglio a calmarti» suggerì Anna. «Abbiamo un sacco di spese da affrontare.» Stava seduta di fianco a me, con tre cuscini dietro la schiena e aveva sparpagliato intorno a sé copie di *AD*, *Elle Decor* e di diverse altre riviste d'arredamento. Aveva un'espressione seria e concentrata, allo stesso tempo era evidente che traboccasse di felicità.

«Sì, dai! Spendiamo. Facciamo girare l'economia.» Mi girai sul fianco e le presi la mano. «Anna, ti rendi conto? Noi, due italiani espatriati in cerca di fortuna, stiamo colonizzando il nostro personale pezzettino di New York.»

«Esagerato» rispose mentre allontanava i giornali. «Però siamo stati bravi» ammise.

«Dovremo continuare a lavorare sodo.» Presi una rivista a caso e cominciai a sfogliarla, distratto. «Piano piano facciamo tutto. Dobbiamo mettere in conto qualche difficoltà, capitano sai. Gli alti e bassi, intendo. Però...»

«Cosa dici? Ognuno di noi ha già avuto la sua parte di rogne, in passato.» Anna si girò verso di me. «Abbiamo già dato per le cose brutte. Solo cose belle per Anna e Marco.» Stava gridando, era su di giri, addirittura euforica. Scivolò giù dai cuscini per stirarsi nel letto. Era bella, la mia donna, mi piaceva dentro e fuori. Allungai la mano in una lunga carezza, dalla fronte alla pancia; iniziai a farle il solletico inseguendo il percorso delle sue cicatrici. Lei rise, poi si ritrasse mentre si guardava intorno. «Sai, Marco, non vedo l'ora di andare via da qui.»

Seguii il suo sguardo sulla parete di mattoni rossi, sui mobili di legno massiccio scassati, sul tappeto frusto e... sul condizionatore, quel vecchio reperto inutilizzabile. Le tendine di stuoia che lei aveva messo appena si era trasferita, per non vedere il cortile, rendevano la luce cupa. Immaginai il panorama dalle finestre della nuova casa: il profilo di Manhattan.

Eravamo circondati da pile di scatoloni e intorno a noi avevamo ancora diverse cose accatastate da imballare. Il letto era una zattera in un mare di confusione.

«Adesso sembra una discarica» ammisi.

«Adesso è una favola» disse Anna. «Domani ce ne andiamo. Io avrò un buon ricordo di questa casa e di Pepita. Non fosse altro...»

«Non fosse altro che qui abbiamo passato insieme la nostra prima notte di non amore.» La chiusi in un abbraccio.

«Sì, tu russavi» rise.

Quella sera, l'ultima da Pepita, non cenammo. Festeggiammo la vigilia di un'altra vita facendo l'amore.

Comprare casa a LIC era costato molti sacrifici e moltissimo lavoro. Ce l'eravamo sudata, ma ora era nostra. Insieme al mutuo.

Dormimmo poco e male. Eravamo in uno stato di eccitazione che ricordavo simile a quello che provavo da bambino il giorno prima del mio compleanno. L'attesa del regalo più bello, quello che avevo chiesto a mamma così tante volte da farla spazientire, era una tortura. E se non fosse arrivato? Mamma mi accontentava sempre.

All'alba le tende avevano lasciato passare un sottile fascio di luce. Anna dormiva supina con i capelli sparsi sulla faccia. Rimasi a guardarla a lungo, nella penombra. La casa era ancora silenziosa, ma le vecchie tubature avevano cominciato a borbottare il buongiorno.

Anna. Chissà dove saremmo arrivati insieme. Avevamo tagliato molti traguardi e altrettanti ne avevo in progetto: prima c'era stato il matrimonio, ora la casa, la Greencard e a breve la cittadinanza. Avremmo fatto qualche investimento azzeccato per rimpinguare la cassa ne ero sicuro, e poi avremmo messo in cantiere i bambini. Già mi vedevo l'estate al mare, in Italia, con la famiglia che di anno in anno cresceva.

Alla fine mi alzai, cercando di non fare rumore. Non vedevo l'ora di iniziare la giornata. Quella stessa sera avremmo dormito nella casa nuova. Avevo vinto la mia prima scommessa facendo un buon affare. Mentre aspettavamo che la casa fosse pronta, LIC, l'ultimo quartiere nel Queens prima di Brooklyn, aveva davvero iniziato a trasformarsi, a prendere quota. Se all'inizio ci aveva conquistato per i parchi sul lungofiume e perché c'era un sacco di gente un po' sopra le righe, artisti, adesso era un continuo fiorire di negozi, birrifici artigianali, mercatini, rigattieri, bistrò dall'aria intima. E tutto ciò era a poche fermate di metro da Manhattan, dove lavoravamo.

Mi sfiorò il pensiero del nostro sogno. Quella cosa che... Gettai uno sguardo al portafoglio sul comodino, dove custodivo l'assegno da un milione di dollari, poi non ci pensai più. Niente distrazioni, avevamo davanti una giornata molto impegnativa. Intanto avevo preparato il caffè, avrei lasciato dormire Anna qualche altro minuto. Mentre facevo colazione, osservavo la stanza che avrei abbandonato per sempre, di lì a poco. Sognavo a occhi aperti. Il sole forzò la trama delle tende e disegnò sul muro quello che mi sembrò essere il profilo di un neonato. Mi riportò alla realtà il rumore bolso di un furgone che parcheggiava accompagnato da una musica di sottofondo, credo fosse salsa.

«Sveglia, Principessa.» Come ogni mattina, la baciai sulla punta del naso. Per qualche strano motivo, era sempre fredda, anche d'estate. Lei spalancò gli occhi e mi guardò senza dire niente.

«Sai dove ti porto oggi?» ripresi. «Andiamo ad abitare in uno dei quartieri di moda a New York.»

«Ci pensi, Marco? È un gran salto dai paesi di provincia in cui siamo nati. Da non crederci.» Schizzò in piedi piena di un'energia incontenibile. Sembrava un folletto. «Dai, pigrone! Abbiamo da fare.»

Proprio allora qualcuno bussò alla porta: era Pedro, un amico di Pepita che si era prestato a farci da traslocatore improvvisato. Iniziammo a caricare le nostre cose sul suo furgone color verde cimice mentre dalla radio ci accompagnava la voce di Juan Luis Guerra che cantava *La bilirrubina*. Ci vollero più viaggi per completare il trasloco da Morningside Heights a LIC, ma a fine giornata ci ritrovammo sul terrazzino della nostra nuova casa, ad ammirare il panorama spettacolare del parco disteso ai piedi di Manhattan. L'enorme insegna della Pepsi Cola mandava riflessi rossastri sull'acqua del fiume; sulla riva le sedie a sdraio di legno erano disposte in file ordinate. Scoprimmo che ogni sera avremmo goduto di un gioco di luci simile a uno spettacolo di fuochi d'artificio cristallizzati. Annusavamo l'aria usando il naso come il tartufo di un cane; l'odore di nuovo dell'appartamento era inebriante. Eravamo sfiniti, ma Anna volle immortalare il momento con un selfie a fuoco sui nostri sorrisi.

21
ALTI E BASSI

Traslocare fu come partire per un nuovo viaggio: la vita a tappe. Ogni volta che approdavamo da qualche parte, l'entusiasmo raddoppiava e produceva nuova energia che ci spingeva sempre più avanti, un passo in là.

Il mio lavoro nel campo della finanza andava bene, ormai avevo ingranato e Marco, da Valentino, era stato promosso. Godevamo la nostra fortuna, ma non ci eravamo montati la testa. Ci piaceva sempre ridistribuirla facilitando i ragazzi italiani che arrivavano qui in cerca della grande occasione, come avevamo fatto noi. Offrivamo le informazioni e i contatti di base, spesso anche un appoggio per le prime settimane. Condividevamo con loro la nostra esperienza. Del resto nella nuova casa avevamo spazio sufficiente per concederci il lusso di avere ospiti. Offrimmo aiuto a tanti, da tutti imparammo qualcosa. Ci aiutarono anche a compensare la nostalgia, o meglio quella speciale melanconia che ti assale quando ricordi una faccia, un odore, un sapore che qui, dove c'è tutto, non puoi avere. In loro compagnia ritrovavamo i gesti, il modo di muovere le mani o di agitare le braccia nell'aria, gli abbracci tra amici e quella speciale confidenza che con i nativi era così difficile, se non impossibile, ricreare. Tutte cose che ogni tanto rimpiangevamo perfino con dolore in certe giornate grigie, soprattutto nella brutta stagione.

Qualche volta la sera, dopo avere mangiato un piatto speciale cucinato da me, Marco iniziava con la solita presa in giro: «Un'italiana in cucina e a letto. I newyorkesi non sanno cosa si perdono».

«Poveracci, mangiano sempre fuori e sempre schifezze.» Mi piaceva dargli corda. «Proprio ieri raccontavo a un cliente del nostro rito italiano di consumare i pasti tutti insieme seduti allo stesso tavolo. Penso che alla fine non mi abbia creduto.»

«Oggi ho sentito che David, sai David Still, il direttore del marketing, invitava un po' di gente alla sua cena di compleanno. Noi no. Siamo fuori dalla lista, Annina mia.»

«Lo sai che invitano solo chi, per un motivo o per l'altro, può essere utile per qualcosa.»

«Lo so, però mi dispiace. In fondo anche tu patisci un po'. Per noi è così facile avere buone relazioni con tutti mentre loro sono più spigolosi. Non è così naturale. Forse proprio perché non hanno tempo per l'amicizia come la intendiamo noi. Ormai lo abbiamo capito.»

«Ci inviteranno quando tu avrai fatto più carriera» dissi io.

«Allora cambierà il giro del fumo anche per noi.»

«Chissenefrega! Magari siamo antipatici» concluse con una risata. «Da un po' non sentiamo Fabrizio.» E di nuovo si insinuava la mestizia, ma ci consolavamo a vicenda facendo l'amore.

Gli amici italiani erano felici di venire a trovarci. Noi li guidavamo alla scoperta del Paese: in Nevada, a Las Vegas, in Arizona dove mi innamorai del Grand Canyon, in Carolina. Spesso andavamo in Connecticut, dove abitavano i cugini americani di Marco, Raymond e Connor, un ramo della famiglia Falcioni che avevamo scoperto quasi per caso, discendenti dei Falcioni emigrati in America agli inizi del Novecento. Quel periodo della nostra vita, pieno di eventi normali, di cose che ci piaceva fare e di cui godevamo in modo speciale, fu magnifico.

Nei giorni festivi, per esempio, seguivamo sempre il rito del brunch; faceva parte della tradizione, da soli o in compagnia. Era un momento in cui riuscivamo a mettere da parte i pensieri e le tensioni della settimana e a fare il carico di energia. Talvolta ci trovavamo con gli amici in uno dei nostri locali preferiti per una colazione in cui il dolce dei pancake si mescolava con il salato del bacon, il caffè col prosecco e le fragole con le uova. L'occasione esigeva che scegliessi con cura di vestirmi con jeans e giubbini all'ultima moda, una specie di *divisa per il brunch* cui tenevo molto. Marco mi prendeva in giro, ma non era da meno con le sue magliette colorate e gli occhiali da sole di cui possedeva una collezione. Era un gioco che replicavamo ogni tanto offrendo un brunch all'italiana, a casa nostra. Anche gli amici americani apprezzavano le mie torte, certa frutta fresca che compravo nei mercatini più esclusivi, le marmellate fatte in case, arrivate dall'Italia come alcuni dolci tipici. A volte il brunch durava fino a sera.

D'estate, la domenica ci piaceva prendere il bus per andare a Williamsburg o ancora più a sud, un po' fuori da Manhattan. Ci sembrava di intraprendere un viaggio, una vacanza di un giorno che ci portava a qualche vernissage o in visita nei negozi di antiquariato dove ammiravamo oggetti di modernariato, tappeti, quadri, sedie dalle forme particolari. I mobili con una storia ci incantavano, eravamo affascinati dall'idea di far rivivere cose vecchie adattandole al nostro stile. Ci provammo con una cassettiera recuperata a una svendita pre-trasloco organizzata a pochi blocchi dal nostro appartamento.

Marco lavorò per diversi fine settimana al suo restauro, sverniciando e scartavetrando e riverniciando. Divenne il pezzo forte della nostra camera da letto, lo scrigno delle nostre cose più preziose e importanti.

Passeggiavamo in giro per il Village o a Chelsea, dentro e fuori le gallerie d'arte e quasi sempre, sulla via del ritorno, ci fermavamo ad acquistare i tulipani rossi e gialli in qualche deli gestito da cinesi, aperto notte e giorno. Allora erano i miei fiori preferiti.

Nei mesi freddi andavamo spesso al cinema. Ricordo un film, *Il curioso caso di Benjamin Button*. Mano a mano che la storia procedeva mi sentivo sempre più angosciata, sul finale scoppiai a piangere. Non riuscivo a trattenermi.

«Anna, cosa c'è? È solo un film.»

«Scusa, non riesco a smettere. Mi è piaciuto tanto. È pieno di poesia, ma è così triste. Qui non vince nessuno.»

«Non sempre c'è un lieto fine, nei film come nella vita.» Marco mi teneva sottobraccio mentre seguivamo il flusso del pubblico in uscita dalla sala.

«Io non so cosa farei senza di te.» Lo dissi d'impulso, senza un motivo. Lui mi strinse il braccio e non rispose. Guardava avanti, per controllare quanto mancasse all'uscita del cinema. Fuori nevicava e il contrasto dei cristalli contro le luci delle insegne sfumava i contorni dei palazzi smussando angoli e attenuando i colori. Non mi interessava ammirare la magia di New York che indossava un nuovo abito. Sottobraccio a Marco, mi seppellii dentro il piumino, calai il cappuccio e camminai quasi sempre a testa bassa e occhi chiusi. Ero prigioniera di un disagio che non riuscivo a definire.

Quella sera stentai ad addormentarmi, provavo una tristezza infinita, venata dall'angoscia. Quell'episodio mi sarebbe tornato in mente nei momenti più strani, anche quando galleggiavo in una felicità cui davo il colore dell'oro.

Marco si era conquistato un'ottima posizione da Valentino, era in ascesa e anch'io me la cavavo bene, anche se ero stanca di lavorare nel campo della finanza. Nel complesso tutto mi pareva perfetto. La nostra vita era esattamente quella che volevo: un divenire dentro una crescita armoniosa. Oltre tutto e tutti, noi ci bastavamo. Univamo anima e corpo in un'unica energia ed eravamo la casa l'uno dell'altra.

Furono anni meravigliosi. In Italia la famiglia cresceva, diventammo zii più volte. Marco iniziò ad allargare il tiro sul futuro con piccoli cenni discreti: domande buttate lì sui bambini della collega, fatte in modo casuale; una sosta immotivata davanti a una vetrina che esponeva articoli per l'infanzia. Io tiravo dritto, lui rimaneva indietro. Segnali che forse non ero pronta a cogliere, poi una mattina aveva lanciato la proposta: «Allora, lo facciamo un bambino?». Aveva capito che non ero pronta e per un po' non era tornato sulla questione, ma la tregua non era durata molto.

Un giorno ci trovammo a mangiare un panino a Bryant Park. Il tempo d'uso per la pausa pranzo stava quasi terminando quando Marco mi prese le mani. Aveva un'aria seria dipinta in faccia: «Allora, quando lo facciamo un figlio?».

«Dici che è ora?»

«Sì. Saresti una mamma bellissima. È tanto che ci penso, lo sai. Tu sei d'accordo? Hai voglia di fare un bambino con me?» Mi strinse ancora più forte i polsi, come una catena, il tono dolce, negli occhi una carezza.

Mi sentii rimescolare. Non ero cambiato niente da quando ne avevamo parlato la prima volta. Io non ero pronta, avevo la mia vita da vivere. Non ero mamma, non mi sentivo. Lo avrei fatto, certo, per lui. Per un momento pensai che non era giusto.

«Sicuro, amore, sì. Se capita.» Vidi mia madre e la foto di Cristina. «Lo sai che mi piacciono i bambini. Uno nostro lo voglio, certo.»

«Non se capita. Lo facciamo capitare.» Mi aveva lasciato le mani, sorrideva benevolo. Guardò l'orologio. «Caspita, è tardi! Ho un appuntamento in ufficio tra cinque minuti.» Mi baciò e scappò via. Restai lì a girovagare per il parco ancora per un po', in testa i pensieri si formavano e impattavano uno contro l'altro, come alle giostre sull'autoscontro. Avevo iniziato a dimostrare a me stessa le tesi giuste, quelle di comune buon senso, pro bambino. Dovevo convincermi che fosse il momento perfetto, non era ragionevole aspettare e non avrei perso la mia libertà o, peggio, me stessa.

Sapevo di mentire.

Cominciai a sospettare di essere quel genere di donna che non trova mai il momento giusto per diventare madre.

Mi doveva capitare, come un incidente. Solo così sarebbe andata bene.

Una fine che sarebbe stato un nuovo inizio.

Cominciammo a tentare.

Certe volte pensavo che fare l'amore non fosse più la stessa cosa. La sensazione di farlo perché devi produrre un risultato.

Il tuo corpo non serve più per l'amore e il piacere.

Diventi un corpo utile alla riproduzione.

Tu non sei più tu. Dubiti.

La tua vita, i tuoi progetti.

Però è bello pensare a un bambino.

Saremo in tre. In tre e poi, magari, in quattro.

I nomi: io avevo scelto Margherita e Tommaso, a Marco piacevano Annamaria e Raffaele. Raggiungemmo a fatica un compromesso su Valentina e Alessandro. Avrebbero avuto le mie orecchie e il suo sorriso.

Per un pezzo non ci fu alcuno scarto nella mia vita, tutto procedeva regolare; ogni mese la certezza che niente sarebbe cambiato. Il termine dei ventotto giorni, era sempre quello che contava.

Ci provammo più o meno per due anni e non accadde niente.

Lo desideravamo tanto. Alla fine lo volevo anch'io forse perché tardava ad arrivare. C'era da provare qualcosa e io sono un tipo preciso. Non era un tormento, almeno per me, ma un tema spinoso.

Un'ossessione, mascherata dall'idea di un principio: la vera prova d'amore di una donna verso il suo uomo.

Mentre la vita andava avanti come sempre, iniziai a fare una serie di esami medici per avviare il protocollo legato alla fecondazione assistita. Non c'era ansia nel fatto di dovere affrontare un'indagine medica per verificare la possibilità di procreare. O almeno, io non mi sentivo in ansia. Forse ero confusa per non essere così coinvolta dall'idea di una maternità. In tutto il tempo in cui avevamo tentato di avere un bambino, c'erano stati dei momenti in cui mi ero interrogata sul perché partecipassi in modo così distaccato al progetto.

Meditavo, ragionavo, ma non approfondivo mai del tutto l'argomento. Non volevo conoscermi sotto questo aspetto. Il senso di colpa, velato, mi bloccava, tuttavia se fossi rimasta incinta sarei stata contenta. Per Marco.

Noi donne siamo sempre divise a metà tra noi stesse e qualcun altro.

Nel frattempo progettavo di cambiare lavoro, di avviare un'attività che mi concedesse più autonomia. In cima ai sogni delle newyorkesi che potevano permetterselo c'era il matrimonio made in Italy, io mi proponevo di esaudire i loro desideri. Sarei dovuta volare in Italia per valutare la possibilità di avviare una collaborazione come wedding planner.

«Sai che potrebbe funzionare? Hai avuto un'ottima idea. Vediamo cosa serve per partire...» Marco era entusiasta. Eravamo entrati nella parte degli imprenditori. L'idea di affrontare un progetto in cui c'era una componente di rischio tanto quanto grosse possibilità di riuscita ci eccitava. Ciascuno di noi conservava sempre nel portafoglio il famoso assegno da un milione di dollari. La scadenza della scommessa, il compimento dei trent'anni, si avvicinava. Prenotai un volo con destinazione Roma. Questa sfida mi aveva distratto dall'idea del bambino. Ci pensò Marco a riportarmi sul tema.

«A proposito, oggi mi ha chiamato l'ospedale. Il protocollo d'indagine prevede una serie di esami anche per me e poi dovrò donare il mio prezioso seme.»

«Come farai senza di me?» Risi, poi tornai seria. «Chissà perché a voi maschi i controlli li fanno fare sempre in seconda battuta» mi lamentai. «Questo pregiudizio di pensare che le magagne siano soprattutto in carico a noi donne mi scoccia.» Lui mi tirò per un braccio e mi fece sedere sulle sue gambe.

«Principessa, non se la prenda. La prego!»

«Non sono la principessa, sono la regina. La regina d'America.» Fingevo di fare la sdegnosa, lui prese a baciarmi sul collo e dietro le orecchie.

«Oh, mio principe!» sospirai. «Ce la farai a restare senza di me per un po' di giorni?»

«Mi mancherai, Anna» rispose, serio, poi ricominciò a baciarmi.

L'indomani partii per l'Italia per verificare la fattibilità del mio progetto da wedding planner made in Italy.

Una settimana dopo, verso mezzogiorno, arrivò la telefonata.

«Ciao, amore. Vorrei che tu fossi con me. Sono a San Gimignano, nella Piazza della Cisterna, è...»

«Anna.» Marco disse solo il mio nome. La voce era come un filo teso.

«Cosa c'è?» Drizzai le antenne. «Cos'è successo?»

«Non preoccuparti. È tutto sotto controllo. Sai, gli esami... Quando il medico ha raccolto la mia storia clinica...» Lo sentii ansimare ed ebbi subito paura.

«Dai, Marco. Forza!» Adesso il suo tentennare mi innervosiva. Avvertii una fitta di mal di testa. «Dimmi.»

«Quando ha sentito che avevo avuto il tumore di Wilms da piccolo ha prescritto un'ecografia. Per scrupolo, ha detto. Mi è sembrata perfino una pignoleria eccessiva, io sono sempre stato bene. Comunque ha fissato l'esame per ieri. Ci sono andato tranquillo, proprio non ci pensavo e durante l'ecografia, non subito, dopo qualche minuto che era iniziata, il tecnico si è scusato ed è uscito. Non è mai un buon segno.»

Mi accasciai sui gradini del pozzo al centro della piazza. Riuscivo a percepire il modo in cui Marco tentava di controllare l'affanno. Non avevo bisogno di altre conferme, serravo le dita ghiacciate sul telefono. La disperazione è fredda.

«Anna, hanno trovato un nefroblastoma nel rene. È tornato.» Adesso che aveva sputato il rospo era più calmo. O così sembrava dal tono della voce. A New York era mattina presto, di sicuro Marco aveva passato una notte insonne

«Dove sei?» domandai.

«In ufficio, ma sono arrivato in anticipo. Sono solo. Non voglio che lo sappia nessuno. Almeno per il momento.» Lo immaginai seduto alla sua scrivania, in una mano reggeva il telefono, con l'altra tormentava il lobo dell'orecchio. Quasi di sicuro indossava uno dei suoi bei completi grigio piombo, la camicia azzurra... Un bell'uomo, giovane e pieno di vita, uno in gamba. Il mio uomo.

«Ma ci sarà una cura. Hanno già stabilito cosa fare?» Le fitte del mal di testa ora si erano concentrate nell'area degli occhi. Sentivo un sapore amaro in bocca e mi mancava il fiato. «La chemio, sicuro. Sarà dura.» Pausa. Aspettava conforto da me. Io ero terrorizzata, non sapevo cosa dire. Mi attraversò un pensiero: l'idea del bambino era accantonata, almeno per il momento. Io volevo andare avanti con la mia vita con Marco. Noi, noi due. Era stato tutto così bello fino a quel momento!

Restammo in silenzio troppo a lungo. Il primo a riprendere il controllo della situazione fu Marco, tentò perfino di scherzare: «Anna, guarda che comunque ho fatto. Anche senza di te. Ci sono riuscito. Intendo il seme.» Voleva tirarmi su. «Adesso è al sicuro. Congelato.»

«Perché non mi hai chiamato subito, ieri?»

«Per non farti male» disse in un soffio. «Lo so che stavi bene. Fino a dieci minuti fa eri felice, vero? Adesso per colpa mia...»

«Ti prego! Ce la faremo. Marco, come ti senti?»

«Mai stato meglio, amore.» Mi sembrò sull'orlo del pianto. Non era da lui.

«Prenoto un volo. Torno subito a casa.»

«Non ce n'è bisogno. Me la cavo. Finisci quel che devi fare, dammi retta.» Emise un sospiro profondo.

«No. Io torno a casa. Voglio essere lì con te.»

Di nuovo rimase in silenzio per qualche secondo, immaginai che stesse cercando di ricomporsi, poi disse: «Allora ti aspetto, amore.» Riattaccò.

22
QUARTO STADIO

New York, aprile 2012.
Era andata. Glielo avevo detto.
Non avrei mai voluto farla soffrire, ma non potevo evitare
di dirglielo. E non sarebbe stato giusto tirare in lungo con
l'annuncio. La conoscevo: ci sarebbe rimasta troppo male.
Confessare il cancro ad Anna aveva risucchiato tutte le mie
energie, ero spompato, confuso. Soprattutto non avevo più
certezze. I miei pensieri, i progetti, le mille cose che avevo in
programma, tutto era stato spazzato via nel momento in cui
mi era stata comunicata la diagnosi.
Avevo bisogno di abituarmi all'idea del cancro dentro di
me; lo vedevo come una blatta attaccata al mio rene, l'unico
che avevo perché l'altro me lo aveva portato via il tumore che
avevo avuto a diciotto mesi. Dunque avevo già dato, eppure
non bastava. Non ancora. Cos'era? Il destino, la sfiga, una punizione per dio sa cosa, il peso delle colpe del mondo che
qualcuno doveva portare, l'inquinamento, la genetica di un
DNA difettoso, lo scontento che talvolta affiorava in me, in-
giustificato, come un sentimento di ingratitudine per una vita
comunque bella, il disagio di sapere di non fare abbastanza.
Abbastanza come? Per chi? L'ambizione, forse troppa ambizione? Volere sempre di più? Perché?

La ruota della sfortuna aveva girato e si era fermata su di me. Questo era un fatto.

Ero sfinito e dovevo cominciare a combattere. L'ufficio era ancora deserto, ma da qualche parte in corridoio sentivo che si muovevano gli addetti alle pulizie. Non ero pronto per incontrare altra gente.

Forse camminare mi avrebbe calmato, sarei riuscito a ricomporre i miei pensieri in modo più razionale. Uscii dall'ufficio e mi diressi a Bryant Park. Era una bellissima giornata di primavera, i colori erano più intensi del solito, le facce della gente cercavano il sole, molti avevano espressioni sorridenti anche se erano soli. Scelsi di andare al bar Lilla, così lo chiamava Anna per via del colore dell'insegna e degli arredi. Mi accomodai a un tavolino da cui potevo vedere la panchina mia e di Anna, quella dove ci sedevamo di solito. Adesso era libera, o meglio, vuota.

Priva di noi due.

Quanti discorsi avevamo scambiato seduti lì e quanti baci. Non erano mancate neppure le discussioni.

Non le avevo detto tutto. Per esempio avevo tenuto per me che la malattia fosse stata classificata al quarto stadio. Glielo avrei comunicato al suo arrivo, sarebbe stato impossibile non passarle questa informazione.

Lei doveva saperlo. Solo lei.

Lo scenario l'avrei deciso io. Non volevo essere compatito, trattato da malato, con troppi riguardi, o da escluso perché tanto... Volevo avere una vita piena finché sarebbe stato possibile. La chemio mi avrebbe buttato a terra. Alla fine mi avrebbe salvato, forse.

"Cazzo, e poi me la caverò. Sono così giovane!" I pensieri gridavano dentro la mia testa mentre il cameriere posava sul tavolino il caffè e la fetta di torta che avevo ordinato per abitudine. Scoprii che non ero in grado di inghiottire. Spezzettai con cura il dolce e iniziai a distribuirlo facendo lunghi lanci verso il prato. In un minuto si formò una macchia di piume vibranti nel verde dell'erba. Tra i tanti uccelli riuniti a banchettare, mi sembrò di distinguere la capinera amica di Anna, quella che aveva cominciato a ronzarle intorno a marzo, per poi avvicinarsi senza alcun timore e prendere le briciole dalla sua mano.

Intorno a me tutto era come sempre, meglio di sempre perché la giornata era bellissima, il brusio di fondo della città saliva e scendeva di tono sull'intensità del traffico.

La primavera è una stagione felice.

Aprile. Un ricordo si fece strada. A casa dicevano che era aprile quando mi ero ammalato la prima volta, da piccolo. Avevano avuto la diagnosi il venerdì santo.

"La contabilità dell'informazione va regolata." Un altro pensiero strano. Era importante decidere con chi condividere la notizia. Anna: già fatto e poi lei era me.

Mio fratello Matteo, Sofia e nessun altro di casa. Non mio padre né gli zii e tantomeno altri parenti o amici. Quelli che mi volevano bene si sarebbero preoccupati e comunque non sarebbe servito. Vivevano lontano, non avremmo saputo cosa dirci. I nostri rapporti sarebbero cambiati o peggio, per la fatica di trovare le parole giuste per parlare con me, si sarebbero diradati. Troppo imbarazzo. Avrei perso i contatti e le amicizie per troppa affezione, non tutti hanno abbastanza coraggio per condividere un dolore. Anche se tengono a te non ce la fanno, lo avevo già sperimentato quando era morta mia madre. A scuola c'era chi mi guardava muto, da lontano, con un disagio vicino alla paura dipinto in faccia. Solo l'ipotesi che potesse capitare anche a loro, di perdere la mamma all'improvviso, li annientava. Mi stavano lontano per prudenza, non per indifferenza.

Io lo capivo. Se sei un adolescente impegnato nella scoperta del mondo non puoi concepire un dolore come quello in cui mi ero trovato a navigare. Tutti mi volevano bene, i compagni che mi stavano vicino e gli altri, che mi evitavano per non essere contagiati dall'enormità del mio dolore.

Adesso sarebbe accaduto lo stesso. Condividere la notizia con troppe persone non sarebbe servito a nessuno.

Anna, mio fratello e Sofia non mi avrebbero pianto addosso. Ce la saremmo cavata, potevamo contare sulle nostre forze, non serviva altro.

Io avrei continuato a fare una vita normale.

Normale?

Avrei finto la mia normalità per continuare a godere di quella degli altri. Mi avrebbe aiutato ad andare avanti.

E comunque potevo farcela. Ce l'avrei fatta.

Quarto stadio: diffusione ai linfonodi extra-addominali.

La chemio mi avrebbe ridotto uno straccio. Avrei tenuto duro perché volevo una vita simile a quella solita.

Potevo farcela.

Quarto stadio.

I pensieri giravano in tondo, sempre gli stessi.

Anna sarebbe arrivata domani.

Pagai il conto e mi allontanai in direzione dell'ufficio. Mi sentivo rinfrancato. Entrai nel cono d'ombra proiettato dai grattacieli. D'istinto cercai l'azzurro del cielo là, oltre la prospettiva dei palazzi. Andai a sbattere contro un carrozzino, mi scusai e feci in tempo a scorgere il viso tondo di un neonato. La madre andò oltre e con quella donna sconosciuta si dissolse anche la scena che avevo sognato tante volte: io, Anna e i nostri due bambini, un maschio e una femmina, a passeggio qui, a Bryant Park, e poi in Italia, al mare: i castelli di sabbia, le onde e nuotare, tutti insieme.

23
IN EQUILIBRIO SULLE ALI

Avevo sempre temuto il rombo profondo, rotolante dell'acciaio che taglia l'aria, sfregiando il cielo. A ogni decollo cercavo di entrare nell'imbottitura del sedile, mi rincagnavo facendomi piccola.

Il cuore... Dentro quel frastuono riuscivo a sentire i battiti che si rincorrevano a un ritmo sempre più forsennato. Sudavo. Nell'aereo, il silenzio imperfetto che accompagnava ogni decollo, mi inquietava. I piccoli colpi di tosse, il raspare in gola, un sospiro tanto profondo da spargersi tra le file dei sedili, il mormorio smozzicato di discorsi in estinzione. Tutto ciò era la prova di quanto il distacco dalla pista fosse un pensiero sospeso per chiunque. Quando l'urlo sforzato del motore mutava in una modulazione regolare, tiravo il fiato e riprendevo colore.

Il display annunciò che potevamo liberarci delle cinture di sicurezza mentre il personale di bordo iniziava a passare in rassegna i passeggeri.

«Tutto bene?» La hostess mi sorrise con fare rassicurante. Forse aveva notato il mio pallore.

«Sì, grazie.» Mi sistemai meglio nel sedile mentre lei mi osservava con occhio esperto. «Ho volato tanto, ma ho sempre paura. È qualcosa che non riesco a vincere.» Sorrisi e mi guardai intorno con l'aria di chi voglia curiosare; avevo bisogno di distrarmi. Lei fece un cenno e proseguì lungo il corridoio.

Sotto di me scorreva la laguna di Venezia, era immersa nella foschia. Terra e mare in grigio.

I colori erano gli stessi del mio primo volo con destinazione New York, nel 2001, un viaggio organizzato dalla scuola. Ero ripartita dalla Grande Mela per il Canada il giorno prima dell'attacco alle Torri gemelle. Ricordo le voci dei miei genitori al telefono, disperate. Non capivo. Non riuscivo a credere che fosse successo appena io avevo voltato le spalle. L'idea che forse ero sfuggita alla morte per una questione di ore, mi aveva lasciato inebetita. Lì, dove mi trovo, seguivo le visite programmate e le ore di studio come un automa. Stavo fuori dalla compagnia degli amici; ero distaccata, sola, viva ma non del tutto presente. Trascinata dentro un gorgo di nostalgia di casa da cui non riuscivo a risalire. Come adesso, solo che ora per tornare a casa ero partita dall'Italia e volavo verso New York.

Anche questa volta la notizia era arrivata per telefono. Una bastonata.

Sull'aereo faceva freddo. Allacciai la giacca, mi rannicchiai e chiusi gli occhi. Lo Xanax stava facendo effetto, per fortuna. Forse non avrei avuto bisogno di ricorrere ad altro.

«Annabeola, Annabeola... dove sei?» Mio fratello Raffi mi cercava in giardino mentre stavo nascosta in casa, dietro la porta della cucina. Giocavamo a nascondino e io, anche se ero più piccola, riuscivo sempre a imbrogliarlo. Ero sgusciata dentro mentre mamma stendeva i panni sul retro. Lui contava per darmi il tempo, lento, scandendo i numeri. Era arrivato a otto e io mi ero già sistemata. Avevo anche fatto in modo di recuperare il vasetto della Nutella e adesso, ben nascosta, tiravo su lunghe lingue di crema con le dita. Mio fratello continuava a cercarmi. "Annabeola, Annabeola...». In casa aleggiava la fragranza del bucato recente mescolato all'aroma del caffè; per me era il profumo di un dolce esotico. Buono.

Un vuoto d'aria riportò a galla i miei pensieri, ancora immersi nella crema di nocciole. Non ero più una bambina, ero sola mentre volava sopra l'oceano e avevo paura. Il fatto che fossi su un aereo non c'entrava niente. Temevo per Marco, Marco e me. Non era ancora panico, ma un senso d'angoscia che era penetrato tra le maglie della mia corazza, rovinava il mio desiderio di stare bene, in pace come prima della telefonata, quando il mio mondo, il nostro mondo, girava nel senso giusto. Ogni cosa al suo posto: l'amore, il lavoro, i progetti, gli amici, i viaggi.

Il futuro a portata di mano.

Presi ad arrotolare una ciocca di capelli con le dita; la tiravo fino a sentire dolore, poi la liberavo per ricominciare a tradurla in un boccolo artificiale. Mia madre avrebbe fatto gli occhiacci per dirmi di smettere, poi mi avrebbe dato un leggero schiaffo sulla mano. Invece, ero libera di torturare i miei capelli, mamma era a casa, forse stava pulendo l'insalata o rifacendo il letto. Magari dava da mangiare al gatto. Di sicuro ero nei suoi pensieri e mentre mi pensava, mi teneva stretta a sé.

Mollai di colpo la ciocca che avevo tra le dita.

«Ti vuoi fare riccia?» Marco avrebbe riso. Se fossimo stati a letto avrebbe preso il mio polso tra i denti, con delicatezza, come un cane che cerchi l'attenzione del padrone.

Marco. La telefonata, il sospetto di un dolore.

Forse sarebbe stato solo un cambio di passo, una fermata. Avremmo rallentato e poi ripreso la corsa. Sentivo ancora più freddo. "Mi basta una coperta" pensai. "Si risolverà tutto".

Rivolsi un sorriso a me stessa per darmi coraggio. Volevo, dovevo riprendere il controllo, ma ero confusa, stordita. Io, di solito così razionale e organizzata, per una volta faticavo a ritrovare il mio spirito guerriero. Sfilai gli occhiali e ciò che avevo intorno mi apparve sfocato, le facce della gente avevano assunto contorni imprecisi così come i bordi delle poltrone erano diluiti in un'unica massa indistinta. Stavo prendendo le distanze dalla realtà che mi aspettava e che ancora non conoscevo. Non era niente di buono.

Stupida, non dovevo neanche pensarlo. Immaginai Marco, il suo sorriso fiducioso, quello con cui mi rassicurava su ogni argomento e diceva che tutto era a posto. Mi faceva stare bene, con lui ero sempre a casa, al sicuro. Solo con lui.

Ricordai la sua voce al telefono, incerta. Sillabe balbettate, parole vacillanti, tono basso.

Non andava bene.

Mossi le gambe e cercai una posizione più comoda. Avevo voglia di correre e di gridare e magari anche di rompere qualcosa. Dall'arrivo della telefonata ero sempre stata in compagnia di altri, costretta a mostrarmi educata, controllata, mentre mi sforzavo di reprimere la nausea che ogni tanto mi assaliva. Come adesso.

Mi avrebbe fatto bene distrarmi, chiacchierare. Non era da me, di solito sono riservata, ma in quel momento soffrivo una pienezza di emozioni che non riuscivo a contenere. Avrei voluto fuggire da me stessa, avere una tregua. Tornai ad appisolarmi dentro i ricordi.

Ero sveglissima la prima volta che Marco mi spiegò che eravamo dei predestinati anche per il nostro essere imperfetti. Lo ripeteva spesso e ogni volta faceva scorrere le dita sulle cicatrici che attraversavano la mia pancia: la pista, la chiamava, e fingeva di spingere il vagone di un trenino sfiorando con l'indice e il medio lo sfregio lasciato dal mio incidente. La sua cicatrice era più lieve, e del resto meno recente della mia, ma c'era. I segni del dolore di un tempo ci univano. Ci dicevano che avevamo superato cose brutte, avevamo dato e non dovevamo temere il futuro.

Non era vero. La telefonata ne era la prova.

Iniziò a martellarmi in testa un pensiero: non sapevo dove stavo andando. Facendo i debiti scongiuri, sarei atterrata nella Grande Mela, ma il mio *dove* vero era Marco, e Marco... Dio, non volevo neanche pensarci. Cos'era questo? Un nuovo inizio? Il seguito di qualcosa? La vita può essere vista in molti modi. Forse avrei anche potuto limitarmi a respirare e basta.

No. Questo era escluso.

Avrei affrontato ogni cosa insieme a Marco. Lo avrebbero curato, a New York c'erano i migliori medici del mondo. Immaginai lui in un letto d'ospedale, io a casa, sola nelle stanze spente dalla sua assenza, e poi...

Sarebbe tornato.

La hostess di prima era di nuovo davanti a me, con il carrello che odorava di caffè cattivo, brioches, succo d'arancia finto, salame... L'insieme mi disgustava.

«Desidera qualcosa?»

«Quanto manca?» domandai.

«Un po' meno di cinque ore.»

"Dio, troppo tempo ancora!" ragionai. «Prenderò dell'acqua, per favore.» Adesso mezza pastiglia di Tavor mi avrebbe aiutato a superare l'oceano.

L'ultima cosa che pensai prima di sprofondare nel sonno artificiale, fu che nessuno mi avrebbe tolto Marco, lui era mio. Qualche ora più tardi passai i controlli all'aeroporto ripetendomi sempre lo stesso concetto. Volevo credere che il mio desiderio si sarebbe avverato. Mi aggrappavo all'idea che se avessi preteso con tutte le mie forze la guarigione di Marco, ebbene lui sarebbe guarito. Decisi che avrei fatto un fioretto, anzi due: niente più cioccolato e neppure scarpe nuove fino a che non fosse stato dichiarato guarito. Una cosa da bambina, lo sapevo, ma sentivo che era importante. Strinsi i pugni e gli occhi mentre giuravo a me stessa che avrei mantenuto la promessa. Marco mi aspettava con il solito sorriso e l'aria rilassata di sempre. Ci abbracciammo senza dire niente.

«Com'è andato il volo? Hai avuto molta paura?»

«Ho preso qualcosa» risposi tirando su con il naso. «Stai benissimo.» Le parole mi uscirono così, senza intenzione.

«Certo che sto benissimo.» Rise piano. Era di buonumore e questo mi tranquillizzò. Sul taxi mi prese le mani, le accarezzò, mi baciò la punta delle dita. «Sto bene perché sei arrivata. Non è cambiato niente. Abbiamo un problema e lo risolveremo.»

«Andrà tutto bene. Hai fatto delle ricerche in Internet?» Mi pentii subito di averglielo chiesto.

«No» disse in fretta e capii che mentiva.

«Quando andiamo dal dottore?»

«Lunedì. Vado solo io, non è necessario che tu perda tempo.»

«Avrò tutto il tempo necessario. Chiudo con il mondo della finanza e cambio lavoro. Ci ho pensato bene e ho deciso. Ho sempre voluto fare l'agente immobiliare, lo sai. Questo è il momento giusto. Avrò più tempo per noi. Potremo stare di più insieme. Per i progetti in Italia... rimandiamo a più in là.»

Mi guardò pensieroso mentre frugava nelle tasche: «Devi pensarci bene». Finalmente aveva trovato gli occhiali da sole, li infilò e si girò per guardare fuori dal finestrino.

Eravamo arrivati nel Queens e il taxi aveva iniziato la salita da cui si apriva il panorama sullo skyline di New York. Rimasi in silenzio. Questo era il luogo, il momento in cui, di ritorno da un viaggio, ci sentivamo finalmente a casa. Di lì a un minuto Marco tornò a sprofondarsi nel sedile, vicino a me. Desiderava il mio calore, la mia protezione, adesso era lui a cercare casa. Dovevo dargli coraggio, capivo che quello era un momento speciale ed ero atterrita. Ero con lui ed ero sola. Un groppo in gola mi impose di continuare a tacere. Quando il taxi scivolò lungo il marciapiede all'altezza del nostro portone radunai le forze per tentare di essere allegra.

«Abbiamo qualcosa da mangiare nel frigorifero?»

Marco stava pagando l'autista, alzò la testa sorpreso: «Non ho pensato a comprare niente.»

«Allora usciamo? Vorrai mica fare morire di fame la tua principessa?» Sentivo che la mia recita non era granché. Lui non rispose, prese il trolley e mi seguì nell'atrio del palazzo e poi in ascensore. Sorridevamo, un po' in imbarazzo. Mi voltai a baciarlo prima di infilare le chiavi nella toppa, mi rispose con un bacio distratto e distante.

Accesi la luce. Sul tavolo erano sparse le carte dell'ospedale, c'erano anche le immagini dell'ecografia.

«Scusa. Me n'ero dimenticato.» Cominciò a radunare i fogli, io mi diressi in bagno e mentre chiudevo la porta alle mie spalle, le lacrime avevano già cominciato a scorrere.

Sentii che avevamo voltato pagina.

Aprii l'acqua del lavandino. Lo scorrere della nostra vita aveva virato corso. "Avremo un periodo duro. Ci aspettano giorni pesanti, ma siamo giovani e recupereremo." Mi asciugai le lacrime e sistemai il trucco. Appoggiai l'orecchio contro la porta. Ero sicura che anche Marco avesse pianto e non volevo coglierlo di sorpresa. Come me, doveva avere il tempo per ricomporsi. Rimasi con l'orecchio incollato al legno per un paio di minuti, poi aprii la porta. Ero a metà del corridoio quando l'appartamento fu invaso da una melodia che conoscevo bene.

No, stanotte amore
Non ho più pensato a te
Ho aperto gli occhi
Per guardare intorno a me

Erano le note de Il mondo di Jimmy Fontana. Il volume era altissimo.

E intorno a me
Girava il mondo come sempre
Gira, il mondo gira
Nello spazio senza fine

Marco mi venne incontro. Indossava un grembiule con disegnata sulla pettorina una pizza fumante. Iniziò a cantare anche lui mentre mi prendeva una mano per invitarmi al ballo.

Con gli amori appena nati
Con gli amori già finiti
Con la gioia e col dolore
Della gente come me
O mondo
Soltanto adesso, io ti guardo
Nel tuo silenzio io mi perdo
E sono niente accanto a te

«Tu sei matto. Abbassa la musica. Ci farai buttare fuori!» Ballammo fino alla fine della canzone, quando si decise a regolare il volume della radio.

«Quando ho sentito che trasmettevano la nostra canzone non ho resistito. Mi sono detto che è un buon segno.» Mi aveva trascinato in cucina dove l'acqua bolliva sul fuoco. «Adesso lo so. Andrà tutto bene.»

«Marco, ascolta...»

«Per stasera non ne parliamo più. Ora butto gli spaghetti. Penso a tutto io. Tu sei stanca per il viaggio.»

«Ma no!» protestai.

«Invece, sì. Stasera solo coccole per la mia regina di New York.» Rideva con gli occhi lucidi.

Dal giorno dopo iniziai a fare ricerche in Internet sul tumore, sia sui siti americani sia su quelli italiani. Marco era stato molto sfortunato, quella forma era davvero rara in un adulto. Però noi avremmo combattuto e conoscere il nemico ci faceva sentire più forti.

Avviai le pratiche necessarie per conseguire l'abilitazione come agente immobiliare. Marco avvisò suo fratello e io mia madre. Fu faticoso, triste. Ci sentivamo in colpa per il dolore che stavamo infliggendo alle persone che più ci volevano bene.

Eravamo desolati. Facevamo finta che tutto fosse come al solito. Un modo per sopravvivere a una disgrazia che, mano a mano che passavano i giorni, ci sembrava troppo grande da sopportare.

Momenti buoni e momenti cattivi, il sole e la pioggia, il bianco e il nero.

Il medico che seguiva Marco per le procedure legate alla fecondazione assistita e che aveva scoperto il tumore, assegnò il nostro caso alla dottoressa Barbara Flores, un'oncologa italo-argentina che ci piacque subito e ci fece sentire in mani sicure. Prescrisse a Marco un ricovero per gli esami di approfondimento. Noi avevamo un'assicurazione sanitaria di primo livello e potevamo permetterci il meglio: un ospedale a cinque stelle. Avevamo trovato il nostro generale, la dottoressa, schierato le truppe e fatto il pieno di munizioni. Ero certa che avremmo vinto.

24
IL MARGINE DELLA VITA

L'ottimismo e la forza di Anna erano contagiosi e, grazie a lei, mi sentivo rinfrancato. Tuttavia vivevo a cavallo tra consapevolezza e stordimento, dentro un languore malato di pensieri incoerenti. Un momento mi sentivo sicuro di farcela, arrivavo a minimizzare la mia malattia quasi che bastasse ignorarla per farla sparire; in un altro momento mi sentivo schiacciato dall'enormità di ciò che mi era accaduto, consapevole delle scarse prospettive di guarigione che mi offrivano le cure che stavo facendo. Mi sforzavo di restare nei limiti di un equilibrio incerto e restavo attaccato al ripetersi delle consuetudini quotidiane, ora dopo ora. Mi concentravo sulle necessità immediate del lavoro o di qualsiasi cosa fosse in grado di distrarmi.

Avere indossato una maschera e restare fedele al personaggio che avevo deciso di interpretare mi dava un'illusione di forza. Questa cosa, la malattia grave che non lascia scampo e che colpisce sempre un altro, era capitata a me. Era un fatto che accettavo da lontano, con distacco.

Mi avevano dato un termine, l'indicazione di un margine, forse cinque anni. Un arco di tempo in cui avrei trovato la mia soluzione. Forse la scoperta di un ricercatore mi avrebbe salvato la vita, altrimenti avrei consumato il mio tramonto nel modo migliore. Con Anna.

Intanto lei si era data subito da fare e, ottenuta la licenza di agente immobiliare, aveva iniziato il nuovo lavoro. Mi ricordo quanto fosse eccitata, perfino felice a tratti, nonostante me. La osservavo prepararsi con cura, scegliere l'abito giusto, le scarpe con il tacco, il tono di rosso per le labbra. Un nuovo lavoro può suscitare, per certi aspetti, la stessa eccitazione di un appassionato amore. L'ho invidiata per quel futuro, solo suo, che non aveva scadenza e, certo, ero anche molto contento per lei. L'ho sostenuta soprattutto quando le difficoltà di una professione da navigare in un oceano popolato da matti e squali, si rivelò in tutta la sua complessità.

All'inizio fu molto dura, Anna sfoderò la sua proverbiale determinazione per riuscire. È sempre stata tenace, ma fare l'agente immobiliare a New York fu un banco di prova durissimo. Gli appuntamenti avvenivano negli orari più strani, con persone di ogni genere con cui doveva fare ricorso a tutta la sua pazienza. Qualche volta andava bene e qualche volta no. Ci mise un po' a ingranare, ma non mollò mai. Nei momenti in cui era giù per un appuntamento andato male, la consolavo e la incoraggiavo. Ero sicuro che ce l'avrebbe fatta perfino quando lei tornava a casa stanchissima, gli occhi velati di lacrime per la rabbia o lo scoramento e, invece di rilassarsi, mi chiedeva conto del mio "bollettino medico". Così chiamavamo, ridendo ma non troppo, il resoconto quotidiano su visite, esami, terapie e assunzione di medicinali. Quando c'era qualche novità lei approfondiva il tema facendo ricerche in rete e poi mandava esiti e pareri a certi professori, specialisti del ramo di Bologna con cui avevamo attivato una specie di consulto online permanente.

Chiuso il fronte medicale cercavamo di confortarci a vicenda e guardare al domani. Mano a mano che passava il tempo, nei nostri impegni della settimana le cene, gli spettacoli a teatro e le riunioni con gli amici andavano diradandosi, rimpiazzati da tutto ciò che comportava la mia cura. Certe sere ci rifugiavamo sul divano, chiusi in un abbraccio morbido mormoravamo frasi smozzicate.

«Amore, come ti senti?» chiedeva Anna. «Domattina abbiamo la chemio, ti accompagno.»

Io restavo in silenzio per un po', poi dicevo: «Va bene, ma non dovevi andare a Tribeca?»

«Nel pomeriggio. Sul tardi. Avremo tutto il tempo.»

Tra noi c'era il cancro, un domani ristretto e il lavoro, che per Anna era importante ora, più di quanto lo fosse per me. C'erano tutte quelle cose che stavano sulla linea di traguardo di una vita normale, scadenze, vacanze, anniversari, perfino pettegolezzi e la lavatrice rotta, da cambiare, e poi il dare ordine all'organizzazione di una vita. Soprattutto questo non ci dicevamo per paura, per pudore, per riguardo e perché affrontare certi problemi avrebbe dato sostanza a una prospettiva che rifiutavamo.

Le volte che uscivamo ancora con gli amici, andavamo a cena, al cinema, la vita scorreva quasi come sempre, però diminuivano le mie voglie. Piano piano cominciavo a rintanarmi dentro me stesso, senza mostrarlo a nessuno. Credo che perfino Anna non se ne rendesse conto.

Sopportavo bene i cicli di chemio, riuscivo a condurre una routine quasi regolare. Era solo apparenza. Lo spazio intorno a me diventava più striminzito ogni giorno. L'ospedale mi appariva più piccolo ogni volta che ci entravo. Lo stare in qualsiasi ambiente medico mi dava un senso di costrizione che faticavo a superare e a nascondere ad Anna. Ogni tanto mi accorgevo che mi fissava, i suoi occhi erano pieni di domande inespresse. Magari ero seduto sul lettino con il camice a fiorellini e la cuffietta colorata, lei stava davanti a me, elegante e perfetta, bellissima come sempre; era pronta per andare fuori, incontro alla vita, per farsi inghiottire dal ritmo frenetico della città mentre io misuravo il mio tempo sull'infusione della chemio o contando i minuti chiuso nel tubo della risonanza.

25
TU NON VUOI CAPIRE

Fecero il volo insieme, mia madre e Matteo, il fratello di Marco. Invece di darmi conforto, il loro arrivo rese più acuta la mia angoscia. All'aeroporto c'ero solo io ad accoglierli, Marco era sotto chemio. Ci abbracciammo a lungo, gli occhi umidi, poi mi ribellai tirandomi indietro di scatto. «Non è giusto. Non c'è niente da piangere. Marco sta seguendo le cure. Guarirà come è guarito la prima volta, da piccolo.» Afferrai il trolley di mia madre, Matteo mi strinse il gomito e sorrise. Ci avviammo, un terzetto sbilanciato dal peso di troppi pensieri.

«Mio fratello è forte. Me lo ripete sempre anche Sofia. È sicuro che ne uscirà bene, questa brutta bestia lui la frega.» Fendeva la folla e si guardava attorno, curioso. «Che casino. Io proprio non ci potrei stare qui.» Io gli rispondevo con battute mentre osservavo mia madre. Non parlava e neppure prestava attenzione a quel che dicevamo. Era invecchiata dall'ultima volta che l'avevo vista; le guance erano più pesanti e la bocca era contornata da tante piccole rughe. Mi ricordò certe foto della nonna.

«Tutto bene, mamma?»

«Sì. Marco a che ora torna?»

«Nel tardo pomeriggio.» Intanto eravamo arrivati al taxi. Matteo stava controllando che il conducente mettesse tutte le valigie nel baule.

«Avremo tempo di parlare» sussurrò lei. «Da sole.»

«A casa tutto bene?» domandai mentre le tenevo la portiera aperta.

«Non te l'ho detto? Tuo fratello ha una nuova morosa. Forse è la volta buona.» Era brava a cambiare discorso e anche a manipolare le persone. Una volta arrivata a casa nostra riuscì a convincere Matteo ad andare in ospedale da Marco, senza concedergli neppure il tempo per un riposino dopo il viaggio. I due fratelli si sarebbero fatti compagnia.

Sistemò le sue cose in un battibaleno, non prima di avere fatto la polvere nella camera degli ospiti che avevo preparato apposta per lei. Matteo avrebbe dormito sul divano del soggiorno.

Alla fine sedette al tavolo della cucina davanti a una tazza fumante di caffè. Aveva portato la miscela dall'Italia. «Siediti, Anna.» Non si decideva con il caffè, era ancora troppo caldo. Notai lo smalto rosa perla, il suo preferito, la tinta fatta all'ultimo, prima della partenza, e la piega quasi intatta, grazie a una dose extra di lacca. Il vestito era nuovo, non glielo avevo mai visto.

«Meno male che mi fermo un po'. Darò un colpo di mano alla casa.» Si guardava in giro con aria sospettosa.

«Ti aspetti di vedere qualche animale strisciare da sotto il divano?» La prendevo in giro, lei era una maniaca delle pulizie.

«Tu devi occuparti di tuo marito.» Aveva riportato la sua attenzione su di me con uno sguardo dolente che mi fece tornare la voglia di piangere. Strinsi i denti.

«Non faccio altro, cosa credi!» Mi alzai per cercare i dolci che avevo comperato apposta per lei. Adesso ero io ad avere bisogno di qualcosa di buono che mi consolasse e presi un cannoncino.

«Mi sono informata bene. Mi spiace, bambina. Tu non vuoi capire, lo so.»

«Se sei venuta fino a qui per fare questi discorsi puoi anche tornare subito in Italia.» Non mi ero mai rivolta in quel modo a mia madre. Ero stata sul punto di gridarle che era una stronza. Io, che ero legatissima a lei e la rispettavo. Era la nostra prima lite dopo quella di tanti anni fa, quando le avevo detto di essere innamorata di Marco. Mi alzai si scatto, pulii le mani sporche di crema in un tovagliolo di carta, lo appallottolai e lo sbattei nel lavello. Restai appoggiata al bancone della cucina, girandole le spalle. «Non dire altro. Sarebbe troppo.» Avrei voluto che non fosse mai arrivata.

«Senti, bambina, non avremo tante occasioni di stare sole. Adesso mi ascolti. Solo un miracolo può tirare fuori Marco. Io ai miracoli ci credo. E prego tutte le mattine e tutte le sere per lui. Ma non è detto. Tu stagli dietro. Piantala lì con la tua mania del lavoro. Prendi il tuo tempo e stai con lui. Non è che dovrà essere così per forza, anzi. Ma nel caso... dopo... dopo non avresti nessun rimorso. Hai capito, bambina?»

Le avevo voltato le spalle, non riuscivo a frenare la rabbia, sentivo di odiarla. Piegai le braccia, serrai i pugni mentre una bolla d'aria mi saliva dallo stomaco, si espandeva nell'esofago e premeva. Per uscire.

«Anna!» gridò, per scuotermi. Avevo afferrato giacca e borsa, senza guardarla e poi ero uscita di corsa. Una volta in strada avevo raggiunto la metro e mi ero infilata su un vagone di coda. Avevo fatto su e giù per qualche fermata, stipata nella folla. Almeno lì potevo starmene in pace e piangere da sola. Il trambusto delle salite e delle discese dal vagone, lo sbuffo della pompa che regolava il movimento delle porte scorrevoli, l'odore di sporco, i profumi costosi, lo strusciare di borse, cartelle, sacchetti di plastica e di carta contro le gambe. Le lacrime non si fermavano, ma nessuno mi guardava in faccia. Ero libera di compatirmi, di soffrire per Marco. Nell'ora morta di metà pomeriggio la folla cominciò a diradare. Ancora non avevo smesso di piangere, gli occhi offuscati fissi sulla chiusura di metallo della borsa, le dita contratte aprivano e chiudevano la farfalla a scatto. Avevo finito i kleenex, ma non importava. Alzai gli occhi e incrociai lo sguardo di una nera seduta di fronte a me. Avrà avuto al massimo quarant'anni, indossava un soprabito rosa con scarpe e borsa grigio chiaro. Era molto elegante, una bella donna con il viso scuro solcato da due tracce iridescenti. Non mi ero mai accorta che le lacrime sulla pelle nera si notassero di più. Sentii che in qualche modo eravamo accomunate da un dolore grande. Mi alzai e quando le passai davanti le feci un cenno di saluto. Alla fermata di casa scesi e camminai piano fino al portone.

Anche Marco era stato in pena per me. Qualche anno prima avevo sofferto per un calcolo renale. I dolori erano iniziati in ufficio, all'inizio erano sopportabili, poi aumentarono d'intensità al punto che decisi di chiamarlo.

«Sto male» soffiai nel telefono. «Vieni a prendermi. Voglio tornare a casa.» Arrivò di corsa, mi trovò piegata in due dalle fitte.

«Non è meglio andare direttamente all'ospedale?» disse mentre mi infilava nel taxi, maneggiandomi con la massima cautela.

«No. Adesso passa. Non farmi parlare.» Diede l'indirizzo di casa al portoricano che guidava. Di quel viaggio ricordo solo che a sprazzi coglievo lo sguardo del conducente. Mi scrutava attraverso lo specchietto retrovisore, forse temeva che gli sporcassi la macchina; io, rattrappita dal dolore, ricambiavo lo sguardo, ipnotizzata dal reticolo di rughe che aveva in faccia. Sembrava la mappa di Manhattan completa di ponti.

Appena in casa mi rifugiai dentro il divano.

«Cosa puoi prendere?» Sentivo che Marco frugava nell'armadietto delle medicine, in bagno. «Aulin? Cosa prendi per il mestruo?»

«Ho preso di tutto in ufficio. Sono sicura che il ciclo non c'entra.» Mi accorsi che la mia voce era stridula. Lanciai un urlo per una fitta più forte.

«Io ti porto in ospedale» disse. Intanto mi toccava la fronte e mi tastava il polso; premeva indice e medio appena sotto il palmo della mano. Tutto era un fastidio per me, che doloravo.

«Hai la febbre» sentenziò. «Può essere appendicite.»

«Aspettiamo ancora un po'» Ormai rantolavo. Lui era già al telefono e stava dando il nostro indirizzo. Abitavamo a Harlem, allora. Dopo qualche minuto arrivò l'ambulanza. Marco restò sempre con me, mi teneva la mano, mi carezzava i capelli e il contorno del viso. Mi rassicurava.

Al Pronto Soccorso mi misero subito sotto flebo. Entrai in uno stato di incoscienza dal quale riemersi alcune ore più tardi, sfinita, ma senza più dolori. Dopo gli accertamenti del caso, superata la crisi e con la diagnosi di calcoli renali, mi dimisero dall'ospedale. Un infermiere mi accompagnò fino all'ascensore, io ero seduta sulla sedia a rotelle. Lì mi aspettava Marco. «Sei uno straccio» dissi, fingendomi scandalizzata.

«Sei bella tu?» Finalmente, dopo ore, riuscivamo a ridere di nuovo. «Non mi sono mai mosso da qui, lo sai?»

«Non sei andato a casa?» Adesso eravamo nell'atrio, c'era un gran traffico di gente e lui si fermò, proprio nel centro del salone. Si chinò a baciarmi sul collo. Un bacio tenero, che mi commosse.

«Andiamo.» Riprese a spingermi. «Abbiamo bisogno tutti e due di una doccia.» Marco mi portò a casa e, quando uscii dal bagno, mi costrinse a infilarmi nel letto. Mi preparò uno spuntino leggero e mi diede le medicine, poi si sdraiò di fianco a me. Ricordo che io ero supina e lui stava sdraiato sulla pancia, un braccio attraversava il mio petto, la mano dietro la nuca mi carezzava i capelli con un massaggio leggero. «Non lo fare mai più» disse.

«Cosa?» La quiete della camera da letto era resa più intima dal ronzio del riscaldamento. Mi piaceva quel suono, caldo in tutti i sensi.

Marco si avvicinò ancora di più, strofinò il naso contro la mia guancia. «Mi sono sentito perso. Non c'era niente che potessi fare per toglierti il dolore. Avrei voluto fosse il mio, invece di vederti soffrire come un cane.» Aveva gli occhi lucidi, si staccò da me e tirò su con il naso. «Non potrei vivere senza di te» bofonchiò.

Concentrata su quel ricordo che amavo tanto, ero arrivata davanti alla porta di casa. Esitai, era quasi l'ora di sedersi a tavola. Di lì a poco Marco e suo fratello sarebbero tornati, di sicuro mia madre stava spignattando e magari aveva cominciato le pulizie di primavera. Non le avrei dato l'occasione di riprendere il discorso che avevamo troncato malamente. Maledissi di non essere sola con Marco. I parenti vengono a portare conforto? Piuttosto dicono la loro, cose che tu non vorresti sentire, verità di cui vorresti fare a meno.

Io amavo mia madre e Matteo voleva bene a suo fratello, però io e Marco avevamo il diritto di restare soli sulla nostra isola. Me ne rendevo conto adesso, che eravamo stati invasi.

Vivevamo nel margine di tempo che la medicina ci aveva assicurato perché questo era uno spazio certo e non c'era discussione. Il *dopo* per me non era neppure all'orizzonte, avevo accorciato il mio sguardo dentro confini oltre i quali non immagino nulla.

26
UNA MANO A POKER

New York, dicembre 2012.
Sia io che Marco prendemmo le distanze dal Natale nel momento in cui la città iniziò a farsi bella per le feste. Senza dircelo, e in fondo senza un motivo di allarme immediato, preferivamo vivacchiare in un clima tranquillo, lontano dagli eccessi di feste, sapori, suoni, spese pazze, che il Natale ci aveva sempre portato. Se negli anni precedenti ci piaceva tenere la radio sintonizzata sul canale che trasmetteva di continuo *Last Christmas, Rockin' Around the Christmas Tree, And So This Is Christmas* e altre canzoni simili, adesso lo scansavamo e misuravamo anche la frequentazione dei tanti party che anticipavano le feste. Eravamo inquieti, ciascuno di noi portava dentro un velo di infelicità che non manifestava all'altro. Fuori indossavamo una patina di relativa serenità, però il tempo cominciava a esserci nemico, lo intuivo da certe assenze prolungate di Marco quando andava a consulto dai medici. Con una scusa evitava di farmi partecipare agli appuntamenti più importanti. Non mi voleva con sé per proteggermi dalle sentenze più dure, preferiva incassare da solo. Non captava più i miei desideri perché era concentrato su se stesso ed era giusto così: combatteva la battaglia per la vita.

Nulla era più come prima, ma avremmo potuto barare levandoci da lì, rifuggendo quella quotidianità così pesante. Realizzai che non volevo passare gli ultimi giorni dell'anno ad aspettare qualcosa che non avremmo mai voluto vedere arrivare. Avevamo già rinunciato al consueto viaggio in Italia, per non trascorrere il Natale in famiglia. I pochi che sapevano, i miei genitori, Matteo e Sofia, avevano fatto di tutto per convincerci a ritornare sulla nostra decisione, ma eravamo stati irremovibili. Volevamo evitare di trovarci riuniti davanti a tavole piene di ogni ben di dio con intorno una compagnia in cui ciascuno avrebbe finto una falsa serenità. In un primo momento avevamo deciso di restare a New York, ma adesso non mi stava più bene. L'atmosfera festosa non mi era mai sembrata così fasulla.

«Abbiamo bisogno di una vacanza» dissi. Mancavano pochi giorni a Natale.

«Vuoi andare via? Dove?» Ringraziai il cielo che Marco non avesse risposto che non se la sentiva e presi la cosa come un buon segno.

«Giochiamocela a poker. Chi vince sceglie la meta.» Avevo già recuperato dal cassetto la scatola con le carte e le fiche. Marco scoppiò in una risata e si sistemò al tavolo, io mi accomodai di fronte a lui, seria. Sono quasi sicura che barò per farmi vincere. Ventiquattro ore dopo partimmo per il Cile, un viaggio della memoria sull'esperienza dei miei sedici anni. Furono giornate indimenticabili spese tra incontri con le persone che mi avevano ospitato tanti anni prima, considerandomi come una figlia e le visite ai posti che più amavo. Volevo condividere con Marco la bellezza di quei luoghi e in quella terra meravigliosa riuscimmo perfino a dimenticarci di noi.

Pace. Avevamo trovato un po' di requie nel presente di quel girovagare, abbagliati dai contrasti di quella terra, che ci riempivano di meraviglia a ogni passo. Saliti a oltre duemila metri, ci abbandonammo ai colori intensi del deserto di Atacama, alle distese di sale, alle rare pozze d'acqua, ai fenicotteri rosa in cerca di cibo, al cielo azzurrissimo, pulito. Trascorremmo ore tenendoci per mano, in silenzio, stupefatti e sopraffatti dalla meraviglia.

Mi ero rasserenata. Davanti a me c'era solo quel che vedevo. Niente altro. Poi, una mattina c'era stato un cambio repentino: il rosa, l'azzurro, il bianco del sale, tutto era sfumato in infinite gradazioni di grigio, il riflesso delle grandi nuvole che si dilatavano, in corsa verso di noi. Un fenicottero si era alzato in volo lasciando solo il suo compagno. Un segnale.

Avevo avuto paura che ci capitasse qualcosa lì, in quel posto. Eravamo tornati a San Pedro e il giorno successivo avevamo proseguito il nostro viaggio. La sensazione di angoscia era scomparsa, mi sentivo di nuovo sicura, con Marco.

«Restiamo qui. Non voglio tornare a casa» dissi più a me stessa che a lui. Eravamo seduti al bordo della piscina del resort in cui alloggiavamo. Tenevo le gambe piegate, i calcagni sul bordo della sedia, le braccia a cingere le ginocchia. Abbracciavo me stessa, felice nel presente eppure tormentata

«Va bene che sei la mia principessa» scherzò Marco, «ma mica possiamo mollare tutto. E poi faresti cambio: questo con New York? Davvero?» Indicò con un gesto ampio del braccio, tutt'intorno.

«Se non restiamo, questo sarà il nostro paradiso perduto.» Tiravo su con il naso. Era la prima volta che piangevo da quando eravamo partiti. La nostra breve vacanza sarebbe terminata l'indomani. «Se rimarremo in Cile, non correremo rischi. Non ci potrà toccare niente» soffiavo le parole fuori dalla bocca, gli occhi lucidi, le mani tremanti, intrecciate sulle rotule. «Capisci? Qui non corriamo nessun pericolo.» Un singhiozzo mise il punto al mio farneticare. Marco teneva la testa bassa, immobile. Dopo un paio di minuti si alzò. La postura era quella di un vecchio con molti anni e dispiaceri sulle spalle curve. Senza guardarmi disse: «Dai, Anna. Andiamo a fare le valigie».

***

Ripartimmo per New York il 30 dicembre.

La stanchezza del viaggio mi era calata addosso nel momento in cui eravamo saliti sull'aereo. Durante il volo finsi di sonnecchiare per evitare di fare conversazione con Anna. La mia testa era di nuovo occupata da esami medici, colloqui con la dottoressa Flores, terapie, riunioni in ufficio in cui stavo sulla difensiva, attento a cogliere qualche sguardo di commiserazione dai colleghi. Non avevo confidato a nessuno di loro la gravità della mia malattia, ma le mie assenze, qualche ricovero e il dimagramento cui ero soggetto, erano indizi facili da interpretare per chiunque. Non credevo più ai pronostici dei medici.

E poi c'era Anna. Adesso rifiutava di parlare con me di quel che stava accadendo; io avrei voluto confidarmi con lei fino a che avessi avuto fiato per fare uscire le parole, spiegarle come stavo predisponendo ogni cosa perché lei non dovesse incontrare alcun problema quando me ne fossi andato. Le avrei lasciato il tempo e il modo per abituarsi alla mia assenza, senza che dovesse avere altre preoccupazioni.

Volevo metterla al sicuro, la mia Anna.

Avrebbe esaurito lentamente il mio ricordo, con fatica, nel dolore. Sarebbe stato difficile, tanto. Lo avevo detto anche a sua madre. Sveva sapeva fin dal principio che non avrei avuto scampo, lo aveva capito perfino prima di me. Era una donna intelligente, di lei mi potevo fidare.

Anna avrebbe attraversato il silenzio ininterrotto della mia presenza con le orecchie tappate, la faccia bagnata di lacrime, le gambe molli, lo stomaco chiuso. Anna! Nel suo viaggio solitario l'avrebbero accompagnata frammenti di memorie, un gusto ritrovato, vecchie foto, musiche, video con dentro le nostre parole.

Alla fine mi addormentai davvero per svegliarmi al colpo del carrello sulla pista del JFK.

«Ti sei riposato bene?» Anna sorrideva, le nostre mani erano intrecciate.

«Mi hai lasciato dormire. Perché?» Sentivo già il rimorso per averla lasciata sola così tanto tempo, lei che aveva paura di volare.

«Ho sonnecchiato anch'io.» Adesso eravamo in fila con gli altri, ormai prossimi a raggiungere la scaletta. Anna, si ravviava i capelli con le mani. «Non vedo l'ora di fare una doccia» bofonchiò nel mezzo di uno sbadiglio mal represso. «A proposito, perché non invitiamo qualche amico per domani sera?»

«No. Lasciamo stare.»

«Perché?» domandò con il suo sguardo da temporale, occhi spalancati e sopracciglia rialzate. «Non vorrai che passiamo da soli l'ultimo dell'anno?»

«Invece sì.» Non aggiunsi altro, ma lei capì che temevo potesse essere il nostro ultimo 31 dicembre. Non avevo la certezza di sopravvivere fino a quello successivo.

«Nessuno sa cosa accadrà.» Anna aveva dato risposta al mio pensiero inespresso. «Tanto vale festeggiare in compagnia e non pensarci.»

«Non ne ho voglia.»

«Io non voglio che restiamo soli. Voglio fare qualcosa. Invitiamo qualcuno o usciamo.» Era arrabbiata e mi dava battaglia. C'era del risentimento nella sua voce. Era spaventata.

Recuperammo i bagagli e ci avviammo alla fermata dei taxi. Nel sedermi in auto feci un movimento strano, una specie di torsione che mi procurò un dolore sordo alla schiena. Pensai che mi sarebbe passato con un bagno caldo. Non se ne andò più.

Barcamenavo le mie giornate tra l'ospedale e il lavoro; passavo quasi più tempo tra visite, esami, terapie che in ufficio, tuttavia all'arrivo dell'estate sembrava che il male avesse deciso di concedermi una tregua. Mi sentivo abbastanza in forze da affrontare le vacanze in Italia. Forse era stata la voglia di rivedere il mio vecchio e mio fratello, gli amici e il mio mare, a darmi l'illusione di una ripresa fisica. Anna era eccitata all'idea della partenza. Si muoveva per casa frenetica come un colibrì mentre io restavo stravaccato sul divano, fingevo di lavorare al portatile e la osservavo spostarsi da una stanza all'altra oppure la sentivo aprire le ante dell'armadio e chiudere i cassetti. Mormorava discorsi inintelligibili, poi ogni tanto compariva in soggiorno e scaricava una bracciata di vestiti sui cuscini, accanto a me.

«Cosa dici? Questo lo porto?» Accostava al seno l'ennesimo abito bianco magnolia, uno tra i tanti della sua infinita collezione.

«Certo. È il mio preferito.» Cercavo di essere serio.

«E questo? Di questo cosa pensi? Però l'avevo già l'anno scorso. Sofia se lo ricorda di sicuro.»

«Certo. È il mio preferito.» Adesso ghignavo mentre lei mi tirava addosso il vestito.

«Che mascalzone! Non prendermi in giro. Aiutami con le valigie, mi fai fare tutto da sola.» Era contenta come una bambina di quel momento di buonumore. Ogni tanto ci dimenticavamo di noi, della nostra vita adesso, e ritornavamo com'eravamo stati. Però Anna era più magra di un tempo, pareva di carta velina, mentre io ero bello gonfio e di sicuro nessuno a casa avrebbe trovato da ridire sul mio aspetto. Le dosi massicce di cortisone avevano contribuito a rimpolpare il mio deperimento.

Entrare nella casa di Fano mi riportò a mia madre, solo che il suo ricordo divenne prima una presenza e poi un presentimento. Quando entrai in cucina, tutto quello che aveva avuto importanza fino a un minuto prima cessò di esistere, infatti io la vidi. Era in piedi davanti all'acquaio e stava facendo qualcosa, ma appena mi sentì si girò e mi tese le mani, sorridente.

«Marco, stai bene?»

«Papà!» Uscii dalla visione e abbracciai mio padre, lo scoprii vecchio come io non sarei mai diventato. Non feci in tempo a lasciarmi andare all'emozione che mi furono tutti addosso, mio fratello e Sofia, i bambini. Il tempo di salutare e mi spinsero verso la tavola imbandita con le cose che mi piacevano di più e intanto facevano a gara per farmi i complimenti e dirmi quanto mi trovavano bene. Io solo sapevo di essere un attore con un impeccabile trucco di scena.

Dopo pranzo, Anna iniziò la solita distribuzione dei regali che avevamo portato da New York. Ogni pacchetto suscitava gridolini di gioia, commenti a non finire, domande, esclamazioni di giubilo. Erano tutti felici ed era bello vederli così, riuniti intorno a lei che sciorinava chiacchiere e sacchetti. Sarei voluto stare per sempre lì, in quella stanza, in quel momento.

«Stasera cenate qui o avete impegni con gli amici? Avete avvisato che arrivavate? Noi l'abbiamo detto agli zii.» Sofia stava mettendo ordine tra nastri e scatole, recuperando quel che c'era di buono delle confezioni.

«Non so. Forse Marco è stanco...» Anna era alle mie spalle, mi massaggiava il collo. Io le presi le mani e mi girai a guardarla: «Stasera ceniamo qui, tutti insieme. Ho voglia di stare in famiglia. Per gli amici c'è tempo.»

«Bene!» disse Matteo con un entusiasmo che mi sembrò un po' forzato. «Così mi racconti con calma come ti va il lavoro.» Mi guardava scrutandomi con attenzione. Finita la baraonda iniziale, cercava i segni del male sulla mia faccia; forse vide solo che ero sereno e si tranquillizzò, infatti, si aprì in un sorriso.

Nel pomeriggio io e Anna andammo a stenderci sul letto. La luce estiva filtrava tra le stecche delle persiane e dava alla stanza una dimensione ultraterrena. Anna si addormentò subito mentre io, nonostante la stanchezza del viaggio e il cambio di fuso, non riuscivo a prendere sonno. Ero felice di essere tornato nella mia Fano. Sdraiato sul letto, nella camera immersa in una cipria polverosa, resa evidente dalle strisce di sole che tagliavano l'ombra, mi sentivo bene. Avrei voluto abbracciare Anna, stringerla forte, e dirle che non era niente, un incidente di percorso, che non doveva preoccuparsi perché noi due, io e lei, eravamo speciali e tutto sarebbe finito bene.

Non lo feci, restai immobile, a piangere in silenzio. Mi consolai da solo e decisi che dovevo iniziare il mio commiato. Feci il giro degli amici, ascoltai le loro storie e i loro progetti, attraversai i luoghi dov'ero stato bene, dove avevo trascorso la mia infanzia e l'adolescenza, mangiai le cose che preferivo senza rinunciare a niente e passai molte ore, la sera, seduto sul muretto davanti a casa, ad annusare la notte, chiacchierando con mio fratello. Anna e Sofia stavano sprofondate nelle poltroncine di vimini, intente a confidenze di cui non sarei stato messo a parte. Ogni tanto si giravano a guardarci. Anna mi curava con lo sguardo.

La mattina andavamo al mare oppure facevamo un giro per le strade del paese o magari salivamo a passeggiare in collina.

Io e Anna ci tenevamo sempre per mano. Un giorno eravamo seduti su una panchina del lungomare, io l'abbracciavo e lei teneva il capo abbandonato nell'incavo della mia spalla. «Noi staremo sempre insieme» disse seria. Io non risposi, pregai in silenzio che fosse vero, ma non credevo in Dio. Non più. Passai molto tempo con i bambini; giocavamo in spiaggia e a casa, in giardino con la canna dell'acqua e con il volano. Loro riuscivano a distrarmi da me stesso almeno per qualche ora.

L'ultimo giorno di vacanza, appena terminato il pranzo presi per mano Anna e Sofia e le costrinsi a uscire con me.

«Fa troppo caldo. Dove vuoi andare?» protestava mia cognata.

«Sì, ha ragione. Andiamo a riposare, usciamo più tardi.» Anna parlava per me.

«Vi offro il gelato in piazza e poi c'è una sorpresa.» Tutte e due avevano drizzato le antenne, ma io non avevo fiatato mentre consumavamo le nostre coppe giganti, seduti sui dondoli della migliore gelateria di Fano.

«Dacci un indizio. Dai, Marco!» Sofia mi tampinava.

«Ignoralo, non dargli soddisfazione» rincarava Anna. Io non rispondevo, concentrato nella stracciatella, e godevo il mio momento. Quando le campane della chiesa batterono le quattro, mi alzai e andai a pagare, loro mi seguirono confabulando.

«Adesso dove andiamo?» chiese Anna.

«Dall'altra parte della piazza. Guardate. Gino sta aprendo il negozio.» Avevo indicato loro la gioielleria d'angolo che incrociava con il corso. Le spinsi avanti con grazia. Anna sorrideva, la furba, mentre Sofia continuava a chiedere cosa avesse a che fare lei, con questa storia. Risposi solo qualche minuto dopo. A Gino, il gioielliere. «Fai scegliere alle signore quello che vogliono.»

«Senz'altro. Ci penso io» rispose lui.

«Il budget?» Lo sguardo di Anna brillava, aveva iniziato il suo gioco.

«Cosa ti piace, Anna? Dai, ti aiuto a scegliere.» Sofia si era messa spalla a spalla con il mio amore.

«No, cara. Pensa per te. Secondo me ti sta bene un girocollo» intervenni facendo un cenno a Gino.

«Perché? Io?» Adesso era arretrata, gli occhi spalancati, le era salito un leggero rossore alle guance per il disagio.

«Ecco qui, gli anelli con lo smeraldo e i collier.» Gino aveva srotolato alcuni panni di velluto su cui spiccavano l'oro e le pietre.

«Ma abbiamo parlato di anelli con lo smeraldo?» avevo chiesto.

«Sì.» Anna se ne stava già provando uno. «Non perdo mai tempo, io. Lo sai.» Rideva, contenta. Invece, fu difficile convincere Sofia a provare qualcosa. Quando capì che l'accettare quel dono era un regalo che lei faceva a me, e non il contrario, si regolò cercando di farmi spendere il meno possibile e discutemmo, scherzando, per un pezzo.

Finì che mi distrassi dal mio male, poi me ne ricordai all'improvviso. Quando la memoria interviene a sproposito. Sentii una fitta alla schiena, di nuovo, forte. Non feci una piega mentre pagavo il conto. Prima di uscire baciai Anna sulla bocca mentre gli altri ci guardavano, imbarazzati.

Era l'ultima volta che Anna riceveva un gioiello in regalo da me.

27
PANETTONE E NUTELLA

New York, settembre 2013.
Tutto doveva essere come sempre. Mentre apparecchiavo la tavola per la prima colazione, mi convincevo che se avessi fatto ogni cosa come al solito, la giornata non avrebbe riservato brutte sorprese. Me lo ero ripetuta ogni giorno, in quei mesi, fingendo che non stessimo affondando nelle sabbie mobili che prima o poi avrebbero inghiottito quel che restava di noi. La casa era la stessa dei tempi felici e noi eravamo Anna e Marco, la coppia ideale. Quella mattina la tensione si accompagnava al mal di testa, mi accadeva sempre più spesso. Avrei preso subito qualcosa, niente doveva rovinare il nostro tempo.

Passai una mano sulla tovaglietta di lino bianco, perfettamente stirata. Guardai i due piattini bianchi, uno di fronte all'altro, le posate, le tazzine, lo zucchero in un vaso trasparente e la Nutella, il cestino con tre cornetti fragranti, appena comperati dal fornaio e, per ultimo, la moka dell'omino con i baffi, fumante.

«È pronto. Vieni?» sussurrai la domanda, sapendo che non avrei avuto risposta.

Marco dormiva ancora. Del resto era sabato. Io mi alzavo presto, per abitudine. Mi piaceva preparare l'impasto della torta che lui chiamava il "panettone". Durante la settimana Marco ne consumava una fetta a colazione, la imbottiva con la Nutella e poi la mangiava a piccoli morsi, masticando lentamente con un'aria beata. La Nutella per lui era un genere di prima necessità, non doveva mai mancare.

Una volta infornata la torta, uscivo per comperare i cornetti. Amavo fare due passi, sola, di prima mattina. Durante il fine settimana New York cambiava ritmo solo per me. Rallentava. Una volta i palazzi e le vetrine dicevano di volermi bene, che ero fortunata, che Marco e io avremmo avuto un gran futuro, in mezzo al fumo e al cemento. "Siete speciali", sussurrava la città, "Io vi proteggo". Volevo pensare che la promessa della Grande Mela valesse ancora.

Nonostante tutto.

Di solito stavo fuori una mezz'ora, il tempo di cottura della torta. Quando rientravo, quasi sempre trovavo Marco appena alzato. Spesso stava preparando il caffè oppure, se ancora dormiva, lo svegliavo con qualche coccola e lui mi regalava il primo sorriso della giornata. Ora, invece, dovevo aspettare che si svegliasse. Stavo seduta sul divano e davo un'occhiata ai giornali italiani sull'iPad, prima il *Corriere* e poi *La Repubblica*. Era un'abitudine che avevamo in comune, io e lui, quella di guardare l'America, standoci dentro, con l'occhio di chi, invece, ne è lontano. A volte il confronto tra la realtà che vivevamo e quello che ne dicevano dall'Italia era molto divertente, ma confermava lo scarto incolmabile tra due Paesi, uno immobile e l'altro in corsa.

Tendevo l'orecchio verso la porta della camera da letto, aperta. Sentivo il respiro di Marco, regolare e, ogni tanto, il rumore delle lenzuola spostate. Si girava nel letto, cercava di riposare, prolungava la beata incoscienza del sonno un po' perché ne aveva bisogno per recuperare le forze, per la stanchezza cronica indotta dalle terapie, e un po' per non pensare.

Intanto passavo ad altri giornali, al *New York Times*; mi concentravo sulle notizie del mondo, un modo per stare fuori da quella nuvola nera che non si spostava più da casa nostra. Rispettavo il suo sonno, ma ero inquieta, perfino insofferente. Non vedevo l'ora di avere Marco con me. Ero paziente con il mio amore. Lo ero sempre stata. Mi faceva piacere accudirlo, compiacerlo, forse un retaggio dell'essere italiana, cresciuta in una famiglia di provincia molto tradizionale, tuttavia scalpitavo per quelle ore, minuti, secondi di vita che il tempo del sonno ci sottraeva.

Però aspettavo.

Aspettavo sempre e ancora.

Un sacchetto vuoto che sperava di essere riempito.

Dal suo amore.

A volte comunicavamo solo stando vicini, in silenzio, oppure attraverso discorsi di nessuna importanza. A volte Marco iniziava a dire cose che io mi rifiutavo di ascoltare.

Succedeva la sera, appena andavamo a letto. Adesso lui era sempre il primo a coricarsi e mi aspettava a occhi chiusi, supino, ordinato. Quando mi infilavo tra le lenzuola allungava un braccio e intrecciavamo le nostre mani. Di lì a un minuto mi arrivava la sua voce.

«Anna.» Mi stringeva forte le dita.

«Sì, amore.»

«Oggi ho riordinato tutte le carte delle assicurazioni. In settimana provvedo per fare le volture delle polizze. Devono essere intestate tutte a te.»

«Non mi interessa. Piuttosto, a che ora è l'appuntamento per domani con la dottoressa?»

«Vado da solo. È a metà pomeriggio. Tu hai i tuoi giri.»

«Sposto gli appuntamenti, non fa niente.»

«Non spostare niente. È una visita di routine. Non ci saranno novità. E poi preferisco andare da solo. Perdo meno tempo. Tu poi mi porti sempre a mangiare i dolci nella nostra sala da tè.» Accennava una risatina. Mi era venuto il dubbio che, ora più che mai, volesse gestire la malattia senza di me, filtrare le notizie, ma l'avevo scacciato via come una mosca fastidiosa. Lui stava resistendo bene, era sempre il solito Marco. Io lo vedevo così. Mi giravo verso di lui lo abbracciavo.

«Va bene, se preferisci così.»

Capitava sempre più spesso che si sciogliesse dal mio abbraccio con un sospiro: «Dormiamo, dai. Sono stanco». Restavamo svegli nel buio, immobili, per ore.

Quasi sempre cedeva prima lui. Mi accorgevo del cambio di ritmo del suo respiro che diventava più lento e si stemperava in un leggero russare. Restavo ancora un po' presa nei pensieri densi e confusi della notte, quelli che tenti di respingere, ma ti attirano nel vortice di sensazioni paurose, con l'angoscia che chiude la gola, le lacrime che scorrono silenziose a bagnare il cuscino finché stremata, non so come, piombavo nell'incoscienza di un sonno pesante.

La mattina dopo ricominciavamo la nostra recita, sforzandoci, ogni giorno con meno successo, di fingere che tutto andasse bene.

In realtà avevamo perso il contatto con la nostra vecchia vita. Marco manteneva sempre il suo sorriso, ma ora era appannato, io organizzavo sempre piccoli scherzi e momenti speciali in cui giocavamo alla principessa e al cavaliere, ma l'incantesimo era svanito.

«Sono riuscito a trasferire il mio conto corrente a tuo nome. È tutto a posto, devi solo depositare la firma.» Marco aveva un'aria soddisfatta, quasi trionfante. Io ero scoppiata a piangere.

«Anna, non fare così. Non voglio che tu abbia problemi. Dai!» Mi passava le dita sulle guance bagnate.

«Non fare questi discorsi.» Mi accorgevo che la mia voce suonava stridula, ma non riuscivo a controllarmi. «Non ci saranno problemi. Penserai tu a ogni cosa.» «Coraggio, Anna.» Mi stringeva forte e io ricambiavo l'abbraccio. Il suo corpo, quel corpo che era la mia casa, si stava riducendo. Dove prima c'erano le curve ora incontravo degli spigoli, tastavo le ossa attraverso la pelle diventata sottile. Eppure non era passato molto tempo da quando le mie mani lo carezzavano e sentivano palpitare la vita, il calore del desiderio, una speranza per il futuro. Ora non volevo ammettere la possibilità che tutto ciò che stava accadendo avesse un significato definitivo.

Marco mi stava lasciando.

Ogni tanto ci pensavo, quando ero sola. Mi immaginavo in piedi, in un angolo del soggiorno, vicino alla finestra. Casa nostra vuota senza più Marco e neanche un mobile, una cosa che segnasse la nostra appartenenza a quel luogo. Neppure il nostro odore. Fuori, parecchio più in basso, New York pulsava come un grande cuore. No, era una bestia affamata, un predatore. Aspettava me.

Sola nella casa nuda, intuivo il fracasso filtrato dai vetri, ricordavo, poiché lo conoscevo bene, il tanfo misto di gas, di gomma, di cibo di strada, di fumo e di sudore e di umana presenza cui ero abituata e che amavo.

D'improvviso non riuscivo più a respirare. L'istinto di sopravvivenza mi riportava al presente. Di solito mi ritrovavo sudata fradicia, la faccia bagnata di lacrime incontrollate, lo stomaco in fiamme.

Odiavo la fine, la nostra fine.

Per allontanarla mi ritiravo nel mio limbo, mi convincevo che si trattasse di brutte fantasie. Usavo mille stratagemmi per evitare la realtà dei nostri destini. Avrei voluto avere più tempo da dedicare al mio amore, però usavo il lavoro come una zona franca e non dicevo mai di no a nessun cliente.

Volevo stare con lui e, allo stesso tempo, lontana da lui. Volevo la nostra vita di prima che non potevo più avere. Volevo una serie di giornate normali, senza quel dolore continuo e lacerante che ogni giorno cresceva un po' di più. Non c'era spazio per altro, eppure fingevo, fingevamo, di essere tra quelli che hanno una vita davanti.

Il frigorifero vuoto e la spesa non contavano più niente, non andavamo più alle riunioni di condominio né ci fermavamo a chiacchierare con i vicini di casa; evitavamo ogni incontro, spiando in silenzio se ci fosse qualcuno in corridoio prima di aprire la porta per uscire. Andavo ancora dal parrucchiere perché essere in ordine era un dovere, ma nello specchio non riconoscevo la mia immagine.

Non sapevo più chi ero perché avevo perso il mio futuro.

Piangevo sempre più spesso. Le lacrime uscivano inaspettate, senza controllo.

Ricordo un pomeriggio, era tardi, quasi ora di cena e invece di andare a casa ero dovuta ripassare dall'ufficio. Avevo trascorso l'intera giornata attraversando New York, dall'Upper West Side a Tribeca, passando per il Lower East Side, sempre di corsa per saltare da un appuntamento all'altro, e tutto era andato storto.

A casa c'era Marco. Lo immaginavo seduto sulla poltroncina di vimini mentre lavorava al computer, ogni tanto lanciava un'occhiata all'orologio. Aspettava, con pazienza. Le lacrime cominciarono a scendere e quando le porte scorrevoli si aprirono al mio piano stavo singhiozzando. Imboccai il corridoio e arrivai davanti alla porta dell'ufficio tirando su con il naso.

Credevo di essere sola, invece c'era la donna delle pulizie, una ispanica grossa, lenta.

Rimasi bloccata e lei mi guardò sorpresa. «Cosa c'è, signora?» Aveva un fare quasi materno e io ricominciai a piangere ancora più forte.

«È stanca, vero? Voi qui lavorate troppo. Vada a casa.» Lanciò un'occhiata alle mie mani. «Vada da suo marito. Non vale la pena piangere per il lavoro. Vedrà che si aggiusta tutto. Domani andrà meglio.»

Io la guardai e non dissi niente però smisi di piangere. Il lavoro mi rendeva la vita difficile, ma per qualche ora talvolta mi portava fuori dalla mia angoscia. Tuttavia il senso di colpa per il tempo che toglievo a Marco era insopportabile. Io qui a lavorare dentro un corpo giovane e sano. Io che ero destinata a rimanere mentre lui si consumava.

Eppure nel corso della nostra ultima estate, quella del 2013, accettavo qualsiasi incarico, perfino quelli che mi tenevano fuori casa il sabato, la domenica e anche la sera. Mi spiaceva lasciare Marco solo anche se lui mi incoraggiava a non perdere nessuna occasione e mostrava di essere felice per me.

Mi preparavo, oppressa dal senso di colpa, lo baciavo e uscivo, volendo restare, mentre i miei passi si affrettavano verso l'ascensore e poi fuori, in strada, veloci verso la metro. Stavo in mezzo alla folla dove tutto pareva normale, trattavo con i clienti, spiegavo, scherzavo, mi mostravo allegra e nei pensieri avevo l'immagine di Marco, senza di me. A volte correvo a casa rischiando le caviglie per via dei tacchi alti. Non vedevo l'ora di stringerlo tra le braccia, ma c'erano giorni in cui non volevo confessare neppure a me stessa che avevo voglia di scappare.

Quello fu il periodo in cui piansi di più, mi sentivo colpevole, combattuta dal perpetrare il mio peccato: desiderare di fuggire da tutto questo dolore. A volte singhiozzavo, sudavo, tremavo, avvertivo sulla pelle l'odore del mio tradimento. Marco invece, mi consolava, si congratulava dei miei successi e poi, nei momenti di quiete, quando eravamo soli in un'apparenza di pace, ricominciava con i discorsi strani. «Non importa se è tardi. Quel che conta è che hai chiuso una vendita. Sei soddisfatta di te. Sono contento.» Sorrideva, mentre buttava la pasta per improvvisare due spaghetti, poi sedeva sullo sgabello e mi guardava apparecchiare. Ogni cosa ormai lo stancava, eppure io facevo finta di non accorgermene per non umiliarlo.

«Anna, dopo ti faccio vedere dove teniamo l'elenco delle password. L'ho riordinato dividendole in categorie e in ordine alfabetico e...»

«Che voglia ti ha preso? A me non interessa, tanto alle password ci hai sempre pensato tu.»

«Può essere che tocchi a te, lo sai. Ti servirà sapere come entrare nella banca.» Riusciva a dirlo con un sorriso sornione, sembrava perfino contento. A me si spezzava il cuore. «Lo capisci che mi fai male? Non voglio il tuo maledetto elenco. Non mi interessa.» Alzavo la voce, arrabbiata fuori e avvilita dentro.

Non lo ammettevo, ma non c'era via d'uscita. Finivo di apparecchiare sbattendo le stoviglie, la testa china e i capelli spioventi sulla faccia tirata, per non mostrare le lacrime. In quei momenti, quando mi scaraventava in faccia la realtà e mi riportava a terra in modo brusco, senza darmi scampo, l'avrei preso a sberle.

Finiva che cenavamo in silenzio. Lui magari tentava qualche battuta, ma io tenevo il punto e poi, una volta sistemata la cucina, andavo accanto a lui sul divano e mi acciambellavo come un gatto cercando il contatto con quel corpo che ora non gli somigliava.

Il mio disagio aumentava ogni giorno. La mattina uscivo senza truccarmi gli occhi. Sapevo già che le prime lacrime sarebbero arrivate appena avessi messo piede in strada. Piangevo nella metro, in ufficio, chiusa in bagno e tornavo a singhiozzare quando ero a casa, sola.

"Cosa sto facendo?" pensavo. "Dovrei passare tutto il mio tempo con Marco e invece..." Invece, rifiutavo di accettare quel che sapevo da tanto. "Devo stare con lui, dobbiamo continuare a parlare finché è possibile, finché riusciremo a trovare le parole. È tardi, è tardi per qualsiasi cosa." La disperazione mi toglieva il sonno e l'appetito. Da un po' di tempo evitavamo gli specchi, tuttavia ci era capitato di osservarci riflessi in una vetrina. Avevamo realizzato che le nostre silhouette cominciavano ad assomigliarsi: sottili, la posa della schiena leggermente incurvata per il dolore.

«Anna, sei troppo magra. Quanti chili hai perso?» Me lo aveva chiesto con un tono di rimprovero. Io mi ero limitata a scuotere la testa ed ero ripartita a passo veloce, inciampando nella gente, indifferente ai colpi, annientata da ciò che avevo intravisto nel disegno delle nostre sagome. Infine avevo rallentato e quando Marco mi aveva raggiunta non avevamo più toccato l'argomento.

28
LA VIE EN ROSE

New York, 13 novembre 2013.
«Anna, aspetta.» Jim mi colse di sorpresa mentre spingevo la porta a vetri del 30 di Irving Place.

«Mica scappo.» Jim era un confusionario. Mia madre lo avrebbe definito un mandolón, lei era capace di dipingere chiunque con due parole in veneto. Non erano ancora le otto e ora davanti a me e a Jim si stavano aprendo le porte dell'ascensore che ci avrebbe condotto al nono piano, dov'erano gli uffici dell'immobiliare per cui lavoravamo.

«È che devo farti una proposta» sorrideva, sornione. «Ho due biglietti per il concerto di Maria Bethania, stasera. La conosci?»

«No.»

«È una cantante brasiliana molto brava. Canterà le canzoni più famose di Edith Piaf.» Lo disse in tono di trionfo.

«Beato te. Io adoro la Piaf.»

«Lo so bene e so anche che domani è il tuo compleanno. Senti, io non posso più andarci. A dire il vero non mi interessa più.»

«Finalmente hai trovato pane per i tuoi denti? Hai trovato una che ti ha piantato in asso?» Raccontavo spesso a Marco le avventure sentimentali di Jim, uno che aveva la cotta facilissima e cambiava ragazza nel tempo che intercorre tra un aperitivo e la cena.

«Ti sbagli. Ho un programma migliore e poi mi fa piacere regalarli a te. Se ci andrai insieme a Marco...»

«Un regalo? Saranno costati cari.»

«Eccoli.» Tirò fuori i biglietti dalla tasca mentre si aprivano le porte dell'ascensore e me li porse. «Divertitevi.» Mi abbracciò stringendomi un po' più del dovuto. «Buon compleanno, Anna. Auguri per tutto.» Girò sui tacchi e infilò il corridoio di sinistra.

Imboccai quello opposto, raggiunsi il mio ufficio e telefonai subito a Marco.

***

Non me la sentii di dire di no ad Anna. Andammo al concerto di Maria Bethania.

In ufficio c'era stata una riunione che era durata oltre il previsto. A un certo punto Rosario mi aveva lanciato uno sguardo lungo. «Vai a casa, Marco. Tanto abbiamo quasi finito.» Io, invece, ero rimasto lì fino alla fine.

Il lavoro era più importante del concerto. Anche del mal di schiena che non mi mollava.

Non avevo voglia di andare e, a dirla tutta, non credevo di potere restare per un paio d'ore inchiodato su una poltrona non proprio comoda. I dolori non mi davano tregua ed ero in giro dalla mattina. Controllai le chiamate. Anna mi aspettava, era già in teatro. Presi un taxi fino a Broadway. La vidi subito, appena fuori dall'entrata. Mi venne incontro, eccitata, disse che Maria Bethania era arrivata da poco e lo spettacolo sarebbe iniziato un po' in ritardo.

Era destino che dovessimo esserci anche noi. Intanto procedevamo immersi nel flusso della folla che prendeva posto.

Finalmente mi sistemai con cautela dentro una poltrona rossa con Anna al mio fianco. La cantante era appena apparsa sul palco, tutti applaudivano e io guardavo Anna, il suo profilo, gli occhi un po' arrossati che ora fissavano Maria Bethania, le mani magre, quasi stilizzate, che vibravano l'una contro l'altra nell'aria.

Forse aveva pianto. Lo sapevo che piangeva di nascosto, davanti a chiunque non la conoscesse. Per strada, in taxi, nella metro. Fuori dalla portata di amici e conoscenti e, soprattutto, lontano da me.

Quando Maria Bethania intonò *La vie en rose*, si girò a guardami. Emanava una felicità fuori dai ricordi di ciò che stava vivendo. Intrecciò la sua mano calda con la mia sudaticcia e gelata e la strinse forte. Di lì a un minuto mi baciò sulla guancia.

Baciarmi le era sempre venuto naturale anche nelle situazioni più impensate, sia che fossimo soli sia che ci trovassimo in compagnia di amici o in una folla di sconosciuti.

Mi prendeva la faccia tra le mani, mi schiacciava le orecchie comprimendo i lobi tra due dita e poi arrivava il bacio. Poteva essere uno sfarfallio leggero e veloce o un bacio vero, un *bacio d'ammore*, lo chiamavo io e lei diceva che era un *bacio da grandi*. Il gesto sfumava sempre in una carezza.

Anna non era mai brusca, accompagnava ogni azione in modo aggraziato. Era gentile nell'anima, nel modo di compiacermi per mostrare il suo amore. Lei intesseva una trama di cui io ero il nodo centrale.

Non avrei scommesso due dollari sulla possibilità di resistere incastrato dentro la poltrona rossa fino alla fine dello spettacolo. In quel momento quello era il mio inferno privato. Il dolore alla schiena, una sequenza di pugnalate e strappi immersi in una dolenzia diffusa e ormai cronica da settimane, era reso più penoso dalla posizione obbligata.

Ero solo, in platea, tra centinaia di persone che si stavano divertendo e sorridevano guardando il palco.

Anche Anna, di fianco a me. Mi stringeva la mano.

Mi accorsi che l'aria rapita con cui seguiva lo spettacolo non impediva che due lucciconi si affacciassero sul bordo delle ciglia.

***

Sapevo che Marco non stava bene. Sapevo anche che, nonostante il dolore, era contento di essere riuscito a venire a teatro per fare felice me.

Però non potevo ignorare la sua sofferenza, il modo artefatto di stare seduto nella poltrona, i piccoli movimenti di assestamento del suo corpo dolente sul velluto rosso. Il respiro trattenuto per una fitta, la bocca aperta alla ricerca di più aria, una smorfia che si sforzava di sembrare un sorriso.

Generoso.

Amorevole.

Il nostro tempo insieme era la cosa che valeva di più, lo sapevamo.

Io però mi sentivo in difetto. Avevo avvertito il suo affanno già al telefono, poi c'era stato quel ritardo per il prolungarsi della riunione in ufficio.

«Anna, non sono sicuro di farcela.» La voce mi era arrivata sottile, appannata.

«Non preoccuparti. Se non ce la fai non importa.» Avevo cercato di contenere la mia delusione, malamente. Soprattutto non avevo detto "ci sarà un'altra occasione". Non lo ammettevo, eppure sapevo che il tempo era agli sgoccioli. Fingevo che ci sarebbe stato sempre almeno ancora un domani.

Quando arrivò a teatro lo vidi bello come al solito, lui mi sorrise, lo abbracciai disperata. Lo annusai per trattenere il suo odore.

"C'è tempo" pensavo. Misuravo il tempo con un metro nuovo e indefinito, non più in mesi, settimane, giorni, ore, minuti. Il tempo era solo il tempo. Qualcosa che non stava dentro nessun parametro certo.

C'era il tempo del termometro per verificare la temperatura, il tempo di cottura degli spaghetti numero cinque, al dente o ben cotti, il tempo di un bucato, il tempo di una canzone. Il tempo della terapia e quello di un sorriso. Il tempo di una connessione su Skype con l'Italia e il tempo in cui aspettavo che arrivasse l'ascensore per portarmi su, a casa, da Marco e al mio dolore.

Il tempo della fine.

Il tempo si stava esaurendo, ma l'indomani ci sarebbe stato il mio compleanno e sarebbe andato tutto bene.

Marco aveva organizzato una festa con gli amici, i più cari. Ci eravamo preparati con cura. L'avevo aiutato a indossare l'abito bello, gli avevo stretto la cintura sui pantaloni larghi, dio quanto larghi, gli avevo infilato la giacca. Che gran elegantone!

Anch'io stavo bene, mi sentivo bella mentre scartavo i pacchetti e ringraziavo tutti e lui faceva battute e mi prendeva in giro. Ogni tanto mi toccava una spalla, mi carezzava i capelli e io gli prendevo una mano, poi sfilavo le dita per prendere un nuovo dono e lui mi sfiorava con la voce, con il bordo della giacca, con un gomito distratto.

Tutto andava bene pur di non perdere il contatto.

Mentre stavano portando la torta, in mezzo alla confusione e al vociare degli ospiti, Marco mi aveva chiuso tra le braccia per soffiarmi nell'orecchio poche parole: «Auguri, amore! Trenta, un bel numero. Lo sai che sono proprio felice con te».

Aveva gli occhi lucidi e anch'io. Assolsi il rito del desiderio a occhi chiusi, le mani dietro la schiena intrecciate alle sue. Soffiai e spensi le candeline. Nessuno si azzardò a farmi la solita domanda scema su quel che avevo desiderato, cui comunque non si deve mai rispondere.

Per scaramanzia.

I riti propiziatori sono un imbroglio. Tutti.

Alla fine della festa Marco era stanchissimo e si vedeva. Anzi, la festa terminò perché era evidente a tutti quanto Marco fosse stremato. Salutato l'ultimo ospite andò subito a letto.

Adesso era notte e cincischiavo in bagno, mi interrogavo davanti allo specchio. «Che faccia hai! Gratta gratta, sotto il trucco fai spavento.»

Mi sfiorò il pensiero di me, sola, e poi la questione del bambino. Mi accarezzai la pancia, come da un po' facevo spesso. Un ventre piatto e inutile. Quanto avrei voluto un figlio da Marco, ora.

Eravamo tornati sul discorso qualche sera prima della mia festa. Ma lui era stato irremovibile: «I bambini non hanno colpe e non devono patire. Cerca di capire, Anna. Ti chiedo di essere generosa con nostro figlio. È sbagliato farlo crescere senza un padre».

«Tu sei qui. Ci sarai.»

«Lo sai che stiamo per separarci.» Con un gesto stanco mi prese il mento per costringermi a guardarlo. «Lo sai. Fare un figlio sapendo che non incontrerà mai suo padre è sbagliato.»

Io avevo cominciato a singhiozzare da strappare il cuore, provavo pena per me, per Marco e per il nostro bambino che non ci sarebbe stato. Ero disperata per tutti noi e Marco mi consolava. A letto, abbracciati, soli al mondo. Vinti tra le lenzuola che sentivo gelate, come fossero state spazzate da un vento teso che le aveva raffreddate.

«Adesso... tra poco potrai fare un'altra scelta, se mai ti venisse in mente di usare il mio seme congelato.» Marco era stato implacabile. «Io non avrò più spazio di manovra per impedirtelo, però Anna...» Gli mancava il fiato. Si era fermato e poi aveva ripreso. «Sono quasi sicuro che alla fine seguirai il mio desiderio e così facendo sceglierai la strada migliore anche per te. E per il nostro bambino.»

Al ricordo delle sue parole mi sfuggì un singhiozzo.

Appoggiai l'orecchio alla porta, poi la socchiusi. Piano. Niente, non sentivo niente.

Mi mossi nel buio, aiutata dalle lame di luce riflessa attraverso le tende oscuranti. New York continuava a vivere di corsa, là fuori.

Lui dormiva, il respiro corto e lieve.

Seduta sul letto mi tolsi la fede e, come ogni sera, la lasciai cadere nel vuotatasche di pelle bianca sul comodino. Urtò il bordo del contenitore, rimbalzò sul pavimento di legno. Mi girai subito per controllare che il rumore non lo avesse svegliato. Per fortuna continuava a dormire.

Tornai a guardare il pavimento.

Nessuna traccia delle fede nuziale. Cercai in giro, passando le mani a terra.

Era sparita.

Sdraiata per terra ispezionai lo spazio sotto il letto. Allungai tutto il braccio a spazzare il parquet, ma niente. Eppure l'anello doveva essere lì da qualche parte. Non volevo rischiare di disturbare Marco.

Mi infilai sotto le coperte. Continuavo a tastare l'anulare, là dov'era il leggero incavo lasciato dalla fede, tolta da poco. Controllavo il vuoto, a disagio, come da piccola indirizzavo la lingua nello spazio del dente di latte appena caduto.

"Porterò la fede, dopo?" Mi pentii subito del pensiero brutto.

Il mattino successivo alla mia festa di compleanno ci svegliammo presto. Marco aveva appuntamento nello studio della dottoressa Flores. Mi aveva detto che dovevano fare il punto sulle cure. Dopo una colazione svogliata a base di tè e biscotti, era sprofondato nel divano, ancora affaticato per avere fatto tardi la sera prima. La baldoria l'aveva prostrato e, come al solito, aveva dormito poco e male. Da quanto non riusciva più a dormire? Settimane? Mesi? Io non sapevo, di sicuro.

«A che ora è la visita?» domandai.

«Non importa. Vai pure al lavoro. Non è tardi per te?»

«Sorpresa!» esclamai, amara. «Ho solo un appuntamento tra un'ora, poi mi sono tenuta la giornata libera per stare insieme a te.»

Lui mi guardò di traverso: «Devo essere là per le undici. Ce la fai?»

«Certo, amore.» Infilai la giacca, presi la borsa e mi chinai a baciarlo, un bacio veloce, sulla guancia, e poi finsi di torcergli la punta del naso con due dita. Un gesto, un piccolo scherzo tra noi che lui amava molto. Volevo farmi perdonare di tutto, di qualcosa, di niente.

Non c'era più spazio, voglia, spunto per altro. Mi prese una mano, restai piegata su di lui che sussurrava: «Anna, forse mi toglieranno dalla sperimentazione».

«Non pensarlo neanche. Perché dovrebbero fare una cosa simile? Non avrebbe senso.» L'intonazione rassicurante mi venne male. Uscii quasi a precipizio e mi infilai nel primo taxi che incrociai. In ufficio chiusi la porta, annullai il mio appuntamento e chiamai la dottoressa Flores. Camminavo avanti e indietro nella stanza, tra la scrivania e la finestra. Mi sentivo una furia, piena di energia, pronta a dare battaglia.

«Sì, lo so. Marco ha appuntamento da lei alle 11, giusto?»

«Alle 10,30, per la precisione» rispose lei.

«Ah, ho capito.» Una mezz'ora di scarto che Marco si era tenuto per sé. Mi aveva mentito e chissà quante altre volte l'aveva fatto. «Voi mi tenete nascoste delle cose.» Picchiai la mano sul piano della scrivania con tanta forza che il rumore arrivò anche alla dottoressa.

«Anna, cosa combina. Si calmi. Lei conosce la situazione...»

«Io so solo quello che Marco mi vuole fare sapere. Mi ha messo da parte. È tanto che l'ho capito.»

«Marco non le nasconde niente. Anche l'ultima volta che ci siamo incontrati tutti e tre... Sono passati solo dieci giorni. Ricordo come lui stesso le ha riassunto la situazione, le terapie.»

«Non sono stupida. Vi eravate messi d'accordo. Vi trovate un po' prima, lei gli dice le cose come stanno e poi quando arrivo io le filtrate. Non sono stupida. Cosa crede?»

«Lei vive con Marco, ce l'ha di fianco ogni giorno. A questo punto non le devo dire niente.»

«Io ho bisogno di sapere. Cosa non mi avete detto? Cosa? Io ho il lavoro, sto fuori tante ore. Devo decidere...»

«Non decidere, ma arrendersi.» Mi interruppe la dottoressa. «Venga alle undici, come le ha detto Marco. Lo assecondi. Ora lei sa tutto.» Chiuse la comunicazione. Mi afflosciai sulla poltroncina.

Sì, sapevo tutto e da parecchio avevo perso ogni illusione.

Da diverso tempo, ogni giorno guardavo Marco che moriva. Avevo trascorso forse più di un anno osservando il suo corpo consumarsi nei mesi, nelle settimane, nei giorni. Ora i cambiamenti avvenivano nell'arco di poche ore. I dolori non lo lasciavano mai.

L'ultima volta che avevamo fatto l'amore avevo misurato il suo corpo ossuto, contro il mio. Non l'avevo riconosciuto e forse lui se n'era accorto. Per quello o per i dolori, non mi aveva più cercata. C'era altro in ballo, lo sapevamo, ma io non lasciavo spazio alla verità e ignoravo la postura incurvata, la smorfia in cui spesso si trasformava il suo sorriso, i suoi abiti diventati troppo grandi di due taglie almeno. Una volta li indossava con eleganza e ora gli pendevano addosso come fossero infilati su una stampella.

Odiavo, rifiutavo, respingevo e allontanavo l'idea di perderlo. Eppure sapevo che sarei sopravvissuta, anche se l'idea di Anna da sola era insopportabile.

29
TRE GRADINI

New York, 15 novembre 2013.
Era finita, lo sapevo. Avevo aspettato il compleanno di Anna, per farla contenta. Adesso non riuscivo più a tenere insieme i cocci. Era arrivato il momento di cambiare registro. Come avrei fatto con Anna? Mi affliggevo per il dolore che avrebbe provato e perché non avrei potuto essere lì a consolarla. Ero precipitato in un crepaccio. C'ero caduto dentro dal versante della vita e sapevo che sul versante opposto c'era qualcosa che non conoscevo e che presto avrei incontrato. Ero stanco, ma avevo deciso di prendere la metro, di stare in mezzo alla gente. Mi dava conforto confluire nella fiumana che attraversava New York per mille e uno motivi. Ero diretto a Uptown; cambiai dalla metro sette alla sei e scesi in corrispondenza della Sessantottesima, poi camminai lentamente per il tratto di strada che mi separava dall'ospedale. Ripensai a quante volte Anna e io avevamo fatto lo stesso percorso per raggiungere lo Sloan Kettering. Nell'ultimo anno e mezzo, dopo ogni visita la mia speranza di farcela diminuiva.

Respirare mi faceva male. Superare i tre gradini che conducevano al portone mi costò come una traversata a nuoto della baia. Dopo infiniti corridoi e l'ascensore, arrivai a destinazione.

«Buongiorno Marco, le dieci e trenta spaccate.» Barbara, la dottoressa Flores, scura di pelle, il camice bianco da cui spuntavano i pantaloni neri e le scarpe rosse cui era tanto affezionata, aveva disegnato in faccia un sorriso serio. "La mia dottoressa mi vuole bene" pensai. "Ora siamo alla resa dei conti."

«Mi togliete dal programma di sperimentazione?» domandai, senza alcun preambolo.

«Piuttosto si tratta di cambiare sperimentazione. Ora ne parliamo, ti spiego...» rispose, invitandomi a sedere. Lei si accomodò sul bordo della scrivania, di fronte a me.

«Non importa. Ho capito. Dunque ci siamo.» La voce mi tremava. «Quanto... Quando?»

«Nessuno può saperlo con precisione. Fai come ti ho sempre detto: non pensare a quanto tempo hai, ma cerca di vivere la vita come vuoi. Prenditi il tuo tempo per altre cose, Marco. Vivi le tue ore.»

Dunque secondo la dottoressa era questione di ore. Ore, neppure giorni. Ero impietrito. «Tra poco arriva Anna. Cosa le diciamo?»

«Tranquillo. Ci penso io. Manca ancora un quarto d'ora alle undici. C'è qualcosa che vuoi chiedermi?»

«Voglio raccontarle di Anna.» Mi abbandonai contro lo schienale della poltrona e chiusi gli occhi. «Di cosa ha fatto per festeggiare il nostro primo anniversario di matrimonio. Mi ha chiesto di prendere un giorno di ferie e mi ha dato appuntamento a Bryant Park, il nostro posto speciale. Mi aveva avvisato che dovevo essere vestito con lo smoking del matrimonio. Ci sono andato e poi è arrivata lei. Anche lei indossava l'abito da sposa, era perfino più bella di un anno prima. Il bouquet questa volta era di girasoli. Anna vive sempre nel sole, non può stare in un clima cupo. Aveva organizzato tutto, convocato un'amica fotografa. Abbiamo un album intero dedicato al nostro primo anniversario. Abbiamo riso come matti quel giorno e per molti giorni in seguito. Dio, quanto abbiamo riso insieme. Ridevamo spesso, prima.» Restammo in silenzio per un po', poi ripresi il discorso: «La sera, a casa, Anna mi disse che aveva voluto rivivere la favola del nostro matrimonio. Così era riuscita a farla rivivere anche a me. A un certo punto mi aveva guardato, uno sguardo intenso tanto che i suoi occhi per un momento mi erano sembrati quasi neri. La luce, avevo pensato. Poi aveva detto: "Sai, sono convinta che se non ti avessi fatto questa sorpresa per il primo anniversario, non sarei riuscita a fartela mai più"». Adesso la dottoressa ascoltava il mio pianto, in silenzio. «Anna è l'amore della mia vita. Credo che continuerò ad amarla... da ovunque.»

Tutti e due sentimmo dei passi affrettati, la fine di una corsa. Anna era arrivata. Entrò subito nello studio, senza neppure bussare.

«Come stai?» Mi accarezzò una guancia. «Allora, dottoressa, come procediamo?»

«Stavo dicendo a Marco che c'è la possibilità di nuove terapie in due centri: Chicago e Boston. Sono tutti e due all'avanguardia. Stanno sperimentando con successo soluzioni proprio per...»

«Vedi, Marco! Ha ragione la dottoressa, non dobbiamo arrenderci. Meglio Boston, è più facile da raggiungere. Prenderò un periodo di aspettativa dal lavoro.» Non la finiva di parlare, il suo tono era febbrile. Povera Anna. Era stata sbattuta dentro un'infelicità che non meritava. Ma chi merita qualsiasi tipo di infelicità? Fa parte della vita e io ero quasi rassegnato alla mia, che finiva. Ogni tanto avevo avuto un rigurgito di sciocca speranza, ma avevo già giocato le mie carte e la fortuna questa volta mi aveva voltato le spalle.

Anche ad Anna, per ora, ma per lei in seguito il vento avrebbe potuto girare ancora.

Ci accomiatammo dalla dottoressa, Barbara mi strinse le mani a lungo. Sapevo che era un congedo definitivo anche se non volevo crederci.

Io e Anna ci ritrovammo soli, nella via, in mezzo alla gente che non immaginava quel che ci stava accadendo. «Facciamo due passi a piedi? Hai voglia?» chiese Anna. Risposi di sì, per farla contenta. Poteva essere la nostra ultima passeggiata insieme.

Durò dieci metri. «Aspetta, ferma un taxi. Sono troppo stanco.» Anna alzò il suo bel viso verso di me, gli occhi pieni di lacrime. Mi abbracciò stretto e la sentii rabbrividire.

«Ti spiace andare tu solo, in taxi? Ho una commissione da sbrigare per l'ufficio. Ci metto poco.» Finsi di credere alla sua scusa e feci la corsa da solo; temevo il dolore e la paura che lei provava per me.

Fuori dal finestrino i grattacieli, i menhir della città, si perdevano in un cielo basso e cupo. Il viavai ininterrotto di mezzi e di persone, che tanto mi era sempre piaciuto, ora procedeva come la puntina rotta su un disco di vinile. Tutto era come prima eppure ogni cosa era cambiata perché era diverso il mio sguardo.

Intanto eravamo arrivati. L'autista attendeva che scendessi dalla macchina. Misi fuori prima una gamba e poi l'altra, con fatica, e cercai di prendere fiato per radunare le forze necessarie a mettermi in piedi.

«Dai, amico. Ti aiuto io.» Non mi ero neppure accorto che il conducente, un nero barbuto, fosse al mio fianco, pronto ad aiutarmi. Afferrai la sua mano e fui in piedi, sul cordolo del marciapiede. «Grazie» dissi.

«Se no facevamo notte» rispose lui mentre si infilava al posto di guida. L'auto scivolò nel traffico come un alligatore dentro la palude.

30
AZZURRO

New York, 15 novembre 2013.
Avevo preteso troppo. Lui era stremato, lo vedevo bene, eppure gli avevo chiesto di camminare. Un gesto crudele, il mio. Quell'abbraccio in mezzo alla strada, davanti all'ospedale, non lo dimenticherò mai. Ero stretta a lui, il mio orecchio contro la sua spalla ad ascoltare il suo respiro. Lo sentii diverso dal solito: corto, superficiale, gorgogliante.

Era il ricordo di un fiato, un soffio residuo, stentava a farsi strada. Mi prese uno stordimento fortissimo e rimasi abbracciata a Marco a lungo. Ero certa che se mi fossi staccata da lui avrei perso l'equilibrio e sarei caduta.

Eravamo due relitti, uno agganciato all'altro, nel marasma di New York, chiusi nel nostro dolore, prigionieri nell'atmosfera grigio piombo, avvolti dalle folate di aria gelida, sfiorati dai passanti che neppure si accorgevano di noi.

Soli senza rimedio. Soli anche da noi stessi.

Forse tra poco sarei stata ancora più sola.

D'improvviso la città smise di essermi amica.

Fermai un taxi e aiutai Marco a infilarsi in macchina. Fu un'operazione lenta e faticosa.

«Vai a casa, io ti raggiungo. Devo... Ce la fai?» Gli sorrisi, sentendomi morire per la vergogna. «Prendo la metro, faccio in fretta.» Lui fece segno di sì con la testa e con la mano invitò l'autista a partire. Era esausto.

Io volevo restare sola. Almeno per un po'.

Non riuscivo più a reggere la pressione, non potevo resistere ancora. Arrivata alla fermata della metro, cincischiai un po' lì intorno, per perdere tempo. Aprivo con la punta della scarpa il tappeto di foglie secche, facevo un passo dietro l'altro, attenta a restare con le suole sull'asfalto. Feci così per qualche decina di metri, fino all'incrocio. Tornai indietro sfatta, soffiandomi il naso che colava. Ero di nuovo alla metro.

Forse mi avrebbe fatto bene camminare per un altro isolato. Con in gola il sapore del tè e dei biscotti della mattina, lo stomaco chiuso, non ero a posto. Mi sentivo anche brutta. La disperazione, il dolore rendono orribili. Io dovevo attraversare tutto questo. C'ero dentro. "Nuota, Anna" dissi a me stessa.

Presi la metro per tornare a casa. Adesso volevo arrivare in fretta, insieme al taxi di Marco, anche se chiudermi tra quattro mura con lui mi spaventava.

Non volevo rincasare e volevo già essere tornata.

Non era giusto che fossi da sola in quella situazione.

Il dispiacere, il dispiacere, il dispiacere...

Avevo freddo, il vento era rinforzato e tutto era grigio. Coprii la distanza dalla fermata della metro al nostro portone con una corsa.

Marco era in soggiorno, seduto al tavolo sulla poltroncina di vimini, indossava la sciarpa che da qualche mese gli era compagna, girata due volte intorno al collo. Aveva davanti il computer, acceso.

«Stai meglio? Cosa fai?» domandai, carezzandolo sui capelli.

«Sto finendo di controllare una relazione. C'è qualcosa che non va. Adesso chiamo Rosario.»

«Devi proprio lavorare? Dai, vieni sul divano con me.» Avevo preso l'iPad, volevo dare un'occhiata alle notizie, per distrarmi. Per essere vicina a lui, ma lontana da lì, almeno con la testa.

«No, lo chiamo. Faccio in fretta. Però ho mal di stomaco, un senso di nausea.»

«Hai preso freddo?» Mi alzai per toccargli la fronte. Era fresca. «Forse hai mangiato qualcosa che ti ha fatto male. Adesso ti preparo una camomilla o una tisana.» Lui stava già parlando al telefono, io sentivo l'ansia in gola. Marco non aveva mai sofferto di nausea da quando lo conoscevo. Restai in cucina, in attesa davanti al bollitore. Al fischio il vassoio era pronto con la tazza, la bustina e lo zucchero. Versai l'acqua bollente e lo portai in soggiorno.

«Oh, Anna. Vieni. C'è tua mamma su Skype. Dalle un saluto.» Marco si alzò e andò a sedersi sul divano, io posai il vassoio sul tavolino, davanti a lui. Mentre compivo questi gesti, così semplici, contavo i passi. Non pensavo a niente. Solo ai passi che servivano ad andare dalla cucina al divano e poi dal divano al tavolo. Liquidai mia madre in fretta. Lei doveva avere intuito qualcosa, la sua espressione attraverso il video mi trasmise ancora più angoscia. Non avevo bisogno di aumentare il carico.

Tornai da Marco, mi accoccolai di fianco a lui. Beveva la camomilla molto lentamente, soffiando sul fumo tra una sorsata e l'altra. Adesso aveva gli occhi lucidi, ma non di lacrime. Erano strani, indecifrabili.

Di nuovo gli toccai la fronte e lui mi scostò la mano infastidito.

«Come stai? Va meglio?»

«Non so.» Posò la tazza ancora piena a metà. «Basta.» disse. Si massaggiava stomaco e pancia con un movimento lento, circolare. Tentava di fare dei respiri profondi, faticava tirando fuori un rumore che mi preoccupava ancora di più.

Un rantolo. Era quello che avevo udito qualche ora prima abbracciandolo. Adesso era strisciato fuori dal suo corpo, riempiva la stanza e rimbombava nelle mie orecchie.

E ancora non capivo.

Era il momento. Ora? Quel momento?

No. Ero certa di no.

Un malessere, un guaio nuovo che si sommava agli altri, di sicuro c'era ancora tempo.

Non avrei pensato quella parola per me impronunciabile, soprattutto se associata a lui. Al mio amore. Adesso gli massaggiavo la schiena con un movimento leggero.

Non avevamo il coraggio di dire niente. Non riuscivamo a parlare. I minuti passavano. Marco era sudato fradicio.

«Vado a prendere una pezza.» Ero già in piedi e lui allungò una mano per prendere la mia. «Aspetta. Forse devo vomitare.» Il suo colorito ora tendeva al verde. Mi apparve cambiato, la pelle della faccia troppo tesa, le pupille dilatate. Era consumato da dentro.

Lo aiutai ad alzarsi e lo guidai in bagno. Faticava a muoversi, faticavo a sostenerlo. Braccia e gambe come quelle di una giraffa.

«Su, amore. Ci siamo. Piano. Così.» Intanto eravamo arrivati in bagno, davanti alla tazza del water.

Marco non parlava, i suoi occhi sembravano di vetro. Diede un singulto e poi vomitò sangue, sangue scuro e denso, tanto sangue. Le sue gambe si piegarono, accompagnai la caduta, dolcemente. Non so come trovai la forza. Il sangue si sparse sulle piastrelle azzurre del nostro bagno, decorato con i colori della Provenza. In testa si allargò un flash: il sole e i colori del nostro viaggio di nozze.

Stava accadendo qualcosa cui non eravamo preparati. Lo aiutai a sdraiarsi a terra, su un fianco, per evitare che soffocasse. L'odore che saturava la stanza, simile a quello del ferro arrugginito, mi riempì le narici.

«Marco, cerco aiuto.» Mi allontanai per prendere il nostro cuscino più bello. Me l'aveva regalato Marco durante un viaggio a Miami, sopra c'era scritto "Kiss me goodnight". Infilai il cuscino sotto la sua testa, per farlo stare comodo mentre cercavo di comporre il 911. Il cellulare non prendeva. Perché?

«Anna, ho paura. Non capisco...» Di nuovo sangue, tanto. Nei suoi occhi c'era una voragine. Non sapevo cosa fare.

«Cerca di stare calmo. Adesso chiamo. Loro sanno cosa fare.»

«Il sangue, qui...» Muoveva il braccio in un gesto lento e incerto, la voce era un soffio. «Tutto sporco. Guarda che roba ho combinato.» Accennò perfino un sorriso.

«Non importa, amore. Adesso vado via un momento. Chiedo aiuto. Stai comodo? Hai freddo?» Lo lasciai senza aspettare la risposta. Uscii sul pianerottolo e mi attaccai al campanello dei vicini. Per fortuna Jeff e Linda erano in casa. Linda avvisò il 911.

**

Sdraiato su un fianco, la testa sul cuscino, aspettavo Anna. Lei di solito era puntuale. Ma *questa volta* c'era un problema. Io e Anna eravamo divisi. Divisi? No, forse non era così. Non eravamo più vicini come prima. Quel che era successo... Impossibile tornare indietro. Lei è sempre stata coraggiosa. Resisterà.

Eppure sentivo ancora la sua mano tenera, calda e umida, che accarezzava la mia. Dovevo lasciarla andare, fuori il cielo stava rischiarando, niente più nuvole per me.

Stavo andando via, era il momento, dovevo trovare il modo per chiudere, ma Anna continuava a trattenermi qui. Dovevo essere sicuro che imparasse a consumare il suo dolore, che si adattasse alla solitudine, riuscisse a consolarsi.

✳✳✳

Ero tornata subito da Marco. Adesso il suo sguardo era lontano. Disse solo: «Anna, chiama mio fratello». Cominciai a piangere. Intercalavo il suo nome tra i singhiozzi. Lui non rispondeva, respirava con la bocca aperta, un respiro spezzato, irregolare. Cercava di prendere aria dallo stomaco. Lo vedevo.

I lineamenti erano distorti per lo sforzo. In quel momento era solo a lottare, solo. Ancora vivo.

Non mi regalò altre parole.

Come un automa impostai la chiamata sul nome di Matteo. Questa volta il cellulare fece il suo dovere. Cosa gli avrei detto? Gli avrei passato Marco, certo. Era meglio così.

Sentii delle voci, erano i paramedici. Mi fecero alcune domande sullo stato di Marco. In bagno c'era poco spazio e mi chiesero di togliermi di lì, dissero a Linda di portarmi a casa sua. Non dovevo ostacolarli. Certo, era giusto. Lo capivo. Mi avviai.

Sembrava una scena irreale. Non ero io quella e lui, quello a terra, sul pavimento macchiato di sangue, non era Marco. Non stava capitando a noi. Ero già sulla porta quando tornai indietro.

«Aiutatelo, vi prego. Ha il cancro. Vi prego!» Intanto il display del cellulare era acceso; la linea con l'Italia era aperta. Dall'altra parte c'era Matteo. Adesso in casa nostra c'erano troppa gente: Jeff mi spingeva verso Linda, le diceva di portarmi subito nel loro appartamento, di fianco al nostro. C'era un gran trambusto. Io parlavo con Matteo, gli dicevo che Marco stava male, molto male. Forse il tono della mia voce era troppo alto, non mi controllavo.

Ricordo che dopo pochi minuti venne da me un medico, disse che non c'era polso e mi chiese se volevo che tentassero di rianimarlo.

RIANIMARLO!

«Certo. È giovane. Avete visto quanto è giovane? Ha il cancro. Rianimatelo, vi prego.» Jeff e Linda mi afferrarono per le braccia per portarmi via. Io avevo artigliato la spalliera del divano con le mani. «Ha solo trentatré anni. Vi prego!» gridavo, cercando di liberarmi dalla stretta degli amici. Dovevo stare vicino a Marco, aveva bisogno di me.

Dopo pochi minuti i ragazzi del 911 tornarono indietro, tutti insieme. Ricordo che ero in piedi al centro del soggiorno e arretrai nell'angolo vicino alla finestra. Senza più gridare né dire niente.

"Ho le spalle al muro" pensai. "È finita." In quel momento, per miracolo, avevo gli occhi asciutti, ma sentivo che dentro di me si staccavano dei blocchi di ghiaccio; li avvertivo scivolare contro lo sterno, le costole e sciogliersi, finire in niente.

Uno dei paramedici allungò una mano e mi strinse la spalla. Erano dei bei giovani, forti, sani, i visi aperti e le espressioni dispiaciute.

«È finita. Ci spiace, se n'è andato.»

Inaccettabile. Non risposi.

«Signora? Ha capito? Purtroppo è morto. Capisce quello che le stiamo dicendo?»

Io capivo, ma non potevo accettare.

Corsi in bagno e mi sdraiai accanto a Marco, coperto da un lenzuolo bianco. Gli carezzai il viso e intrecciai la sua mano nella mia attraverso il tessuto.

Sarei voluta restare per sempre lì, con il mio amore. Trattenevo il respiro, perché lui non respirava più, eppure continuavo a vivere.

Era finita, finita per sempre.

La morte era arrivata.

Non dovevo più controllare le lacrime, né avrei potuto farlo. Non so per quanto rimasi sdraiata accanto a lui, che non potevo più vedere. Lo baciai attraverso il lenzuolo.

Era passato pochissimo tempo da quando io e lui stavamo parlando sul divano. Nei cuscini era ancora impressa la sua forma, nell'aria risuonava l'eco della sua voce, avevo il suo odore addosso. Dio, quello del sangue!

Marco, il mio Marco, tutto quello che avevo era lui. Adesso era qui, coperto da un telo, immobile. Sentii che anch'io avevo il mal di stomaco.

Vicino a me qualcuno parlava, poi d'improvviso ci fu un breve silenzio, infine, uno dei paramedici mi sollevò di peso, almeno così mi parve. Mi chiese più volte se avevo capito cosa fosse successo? Sì, avevo capito che Marco non c'era più e la nostra vita era finita.

«Adesso lei va di là, a casa dei suoi amici. Qui dobbiamo fare delle cose. Preparare. Poi la chiamiamo.» In qualche modo mi aveva portato fino alla porta d'ingresso, già aperta. Linda mi chiuse nel suo abbraccio. Jeff mi infilò il cellulare tra le dita mentre mi obbligava a sedere al tavolo del suo soggiorno. «C'è tuo cognato al telefono» m'informò. «Gli ho spiegato. Vuoi dirgli qualcosa?»

«Pronto...» La voce di Matteo arrivò da lontano. Io non ascoltavo. Dissi: «Lo voglio riportare a casa. Deve stare lì, vicino al mare, nei suoi posti. Mi aiuterai?» Avevo ripassato il telefono a Jeff che concluse la chiamata. Non sapevo dove stare, o meglio, volevo stare con Marco. Mi alzavo per andare verso la porta e Linda mi riportava a sedere. «Aspetta. Ci diranno quando possiamo tornare di là.»

Avevo chiamato mia madre, non mi era sembrata sorpresa, solo molto addolorata. Per me era stato difficile dirle che Marco non c'era più. Non sapevo come dirlo, lui era ancora di là, separato da me solo da un muro, pochi passi, ma irraggiungibile.

Infine, la porta di casa nostra, la casa di Anna e Marco, si era aperta. Il paramedico di prima mi aveva detto che potevo dare l'ultimo saluto a Marco. Jeff era entrato prima di me. «Meglio che non sollevi ancora il lenzuolo, Anna. Lo vedrai poi, quando sarà in ordine.» Avevo obbedito.

Percorsi di nuovo il contorno delle sue labbra socchiuse, attraverso la tela. Gli diedi un ultimo bacio. Accompagnai i suoi lineamenti con la punta delle dita e poi mi dissero che era ora. Lo avrebbero portato via. Avevo annuito. Impossibile che lui se ne andasse così eppure stava accadendo. Infilarono Marco, il corpo di Marco, lui, in una grande busta azzurra. L'azzurro gli era sempre piaciuto. Di là i suoi cassetti erano pieni di camicie nei diversi toni dell'azzurro: azzurro chiaro, azzurro mare, azzurro elettrico, azzurro fiordaliso, azzurro... Lo accompagnai fino all'ascensore.

Le porte si chiusero con uno schianto. Strano, di solito producevano un soffio simile a quello di un mantice che si svuota.

Appoggiai l'orecchio al metallo per sentire le carrucole che si muovevano mentre scendeva giù.

Jeff e Linda mi obbligarono a tornare a casa loro, non dovevo restare sola. Mi precipitai alla finestra, volevo vedere Marco che andava via. Fuori New York scintillava dentro il buio. Tentai di seguire il luccichio delle macchine che riverberava nelle vetrine, le insegne colorate dei locali, rosa, verde, azzurro.

Azzurro.

Era cominciato il mio *dopo*.

31
LA MORTE È ORDINATA

Distrutta, stavo per annegare nella disperazione, ma non restai sola per molto. Appena avevano saputo della morte di Marco, Matteo e mia madre erano volati qui, dall'Italia; erano arrivati anche i cugini dal Connecticut e tanti amici da ogni parte.

Marco era stato sistemato in una grande stanza, in un edificio ordinato, in una strada diritta dove le case erano perfettamente allineate. Davanti all'ingresso correva una siepe di bosso che delimitava anche il vialetto di invito al portone; era tanto precisa da sembrare finta. Non saprei dire in che quartiere si trovasse, non ebbi il permesso di andarci da sola. Avevo preteso di occuparmi io di ciò che serviva al mio amore. Scelsi per lui i vestiti più belli: un abito grigio molto elegante con il gilet in tinta e la camicia bianca.

Dopo una lunga riflessione decisi che non lo avrei costretto a mettere la cravatta, che aveva sempre detestato. Per le scarpe, gli feci indossare dei mocassini comodi. Avrebbe avuto tanta strada da fare, senza di me.

Era bello.

Disteso nel raso.

Stavo volentieri in sua compagnia. Solo l'ultimo giorno, quello del funerale, non ci siamo incontrati. Mia madre mi aveva detto che era cambiato, che era meglio che non lo vedessi e che del resto lo avevo già salutato. Mi ero fidata delle sue parole. Avevo mandato a Marco un bacio, da lontano.

Alle esequie partecipò moltissima gente. Gli uffici di Valentino rimasero deserti per il tempo del funerale.

Poi ciascuno era tornato alla propria vita, alle consuete occupazioni. Non fu facile, ma convinsi mia madre e Matteo a ripartire. Una volta assolte le pratiche, avrei riportato Marco in Italia e volevo farlo da sola.

Incassata nel sedile del Boeing 767, decollato dal JFK di New York, mi sentivo confusa, pesante. Troppi pensieri nella testa a fare da zavorra e nessuno che mi portasse in una direzione precisa. Ero a un incrocio e mi ero persa per la prima volta in vita mia. Avrei ritrovato la strada, lo sapevo, ma c'era un tempo difficile da passare. Avevo bisogno di una tregua.

Sbirciai i miei vicini di viaggio. Non avevo scambiato neppure un saluto, con loro. C'era chi leggeva, chi dormiva, chi tentava di uscire dal sopore del sonno. Io desideravo solo sprofondare in uno stato di incoscienza, ma il Tavor era meno efficace del solito. "Ti prego, fammi dormire" pregai tra me. "Voglio solo dormire." Sentii il sonno arrivare, finalmente. Venne con un sapore di rancido in bocca. L'ultima immagine prima di addormentarmi fu quella della bara che veniva inghiottita dalla pancia dell'aereo.

Al nostro arrivo, Matteo e Sofia si occuparono di ogni cosa. Trovammo il modo di mantenere il segreto con il padre di Marco, troppo vecchio e malconcio per sopportare un simile colpo.

La mattina dopo il mio arrivo mi svegliai presto, non erano ancora le sei. La casa di Matteo e Sofia, dov'ero ospite, era silenziosa anche se sono certa di non essere stata la sola a vegliare. Non stavo bene, avevo mal di pancia. Appena in bagno maledissi le mestruazioni.

Nessun bambino di Marco e mio. Di sicuro una punizione per tutte quelle volte che avevo tirato un sospiro di sollievo quando avevo visto il rosso del sangue nelle mutandine. Ero una madre mancata, orfana di un bambino mai concepito, vedova di suo padre.

Tornai a New York, spaiata. Scoprii che non avevo più casa. Il nostro meraviglioso appartamento era sempre lì, ma non rappresentava più il mio rifugio, la mia cuccia, il luogo in cui potevo abbandonarmi sicura nelle braccia del mio amore. Con Marco ero sempre stata libera di mostrarmi com'ero davvero, senza alzare scudi, indossare maschere o stare sulla difensiva. Adesso tutto questo era finito, un capitolo chiuso.

Feci l'inventario di tutto ciò che gli era appartenuto, senza alcun testimone. Stendevo sul letto gli abiti, le camicie, i jeans e le magliette, le scarpe e tante altre cose. Selezionai ciò che avrei tenuto per sempre e diedi via tutto il resto. Feci mia la sua collezione di occhiali da sole, passai una giornata a provarli davanti lo specchio, piangendo e ridendo a seconda dei ricordi che, a ondate, mi invadevano.

Marco aveva sistemato ogni cosa, le carte della banca e dell'assicurazione erano in perfetto ordine, tutto predisposto a mio nome; non ebbi alcun intralcio, nessun problema. C'era anche il famoso elenco della password di cui non avevo voluto sapere niente; aprii il suo computer, scoprii nella posta le mail che aveva scambiato con mia madre. Quante!

Marco le diceva che per me sarebbe stato difficile, ma ce l'avrei fatta perché ero in gamba, ero tosta. Ero Anna d'acciaio, anche se io non lo sapevo. Aveva scritto: "Anna è la cosa più bella della mia vita e la vorrei sempre mia, ma deve essere libera di ricominciare. Di andare avanti anche senza di me".

E poi mi era capitata in mano la ricevuta, il suo seme congelato. Ancora una volta, aveva fatto rinascere in me l'idea. Un figlio mio e di Marco era una possibilità concreta. Ne avevamo parlato tanto negli ultimi tempi e le nostre posizioni si erano invertite. Ora ero io a volere quello che prima rifiutavo. Lui, invece, mi aveva detto che non voleva, eppure... Alla fine aveva lasciato il suo seme.

32
IL MIO ULTIMO ANNO A NEW YORK

New York, 29 maggio 2016.
Lotto, mi aggrappo al torpore del sonno che si sfrangia nel dormiveglia. Mi muovo appena nel vortice grigio sull'orlo del risveglio. Resisto dalla parte dei sogni, non voglio uscire di qui.

Eppure c'è qualcosa, un'energia che preme contro di me e decide: nella stanza rimbomba un rumore secco. Mi stiro sul divano e cerco a tentoni la scatola dei kleenex. Ora è a terra insieme al libro. *La casa degli spiriti* è aperto, a rovescio, sul pavimento di legno.

Un crampo mi strizza un polpaccio, mi massaggio, rattrappita su me stessa e per distrarmi ripasso il repertorio di cornici disposte in fila sopra il tavolino: le immagini dei momenti felici con Marco. Due foto lo ritraggono con i nipotini Mattia e Michele, i figli di Matteo e Sofia. Hanno il suo stesso sorriso, l'identico taglio d'occhi e anche la bocca è simile; tutte le generazioni dei Falcioni si assomigliano, sembrano fatte con lo stampino. Sorrido a Marco, fiaccata dallo stordimento. Cos'è la mia vita adesso? A volte ho la sensazione di non contare, riempio solo uno spazio. Assaggio il vino rimasto nel bicchiere, è un brodo, poi raccolgo la scatola dei kleenex e la scaravento lontano.

Mi vergogno di essere ancora a questo punto: la collera, il rancore. Eppure ho anche cambiato casa per sentirmi al sicuro dai ricordi; loro mi inseguono senza malizia e mi consolano, quando arrivano come memorie sfocate, ma se rivivo i miei giorni con Marco, i momenti più belli, di nuovo mi spezzo. Anche i luoghi e gli oggetti, certe canzoni oppure un vecchio film e perfino i programmi che ci piaceva guardare alla televisione hanno un significato speciale per me. Mille cose o situazioni fanno scattare la nostalgia che tante volte riapre la ferita proprio quando penso di essere sulla via della guarigione.

Passa il tempo, ma non aumenta la distanza tra me e Marco.

E poi c'è la questione del bambino. Quel bambino che ancora voglio, forse. Marco non più. Ho ancora tempo per decidere, ormai lui non si opporrà.

«Un bambino senza padre non va bene. Io non voglio che mio figlio cresca senza di me. Non farlo, Anna.» Quante volte lo aveva detto nell'ultimo anno. Mi ero sentita impotente, stanchissima, perfino vecchia. Poi lui mi aveva lasciato e sono già tre anni che noi due...

Comunque, ora posso decidere senza farmi condizionare da nessuno.

Non è vero.

Marco mi parla ancora. Mi accompagna e mi guida nelle decisioni importanti.

Sono nel mezzo della notte, tanto vale dormirci sopra. Sul letto, al posto di Marco, mi aspetta l'iPad. Leggo sempre le ultime notizie dall'Italia, prima di addormentarmi.

«Sai, Marco, ci penserò ancora un po'» parlo con lui, come faccio spesso. «Non è detto che io ti accontenti. Potrei anche farlo, un figlio tuo.» Sorrido mentre mi spoglio. «Lo sai che sarebbe bellissimo. Somiglierebbe a te.»

O magari questo bambino rimarrà un desiderio incompiuto. Un sogno della mia vedovanza.

Vedovanza, che parola orrenda. Una donna senza il suo uomo, perso per sempre. Non so ancora descrivere la mia solitudine, sarà perché così, senza Marco, per tanto tempo non sono stata niente.

Dormire è ancora un problema, forse lo sarà per sempre. Qualche volta vengo graziata e sprofondo tra le braccia di Morfeo per alcune ore, salvo svegliarmi terrorizzata e allibita all'idea che lui mi abbia abbandonata. Però ho smesso di credere che senza Marco avrei cessato di esistere. Subito dopo la sua morte, la sera mi infilavo tra le lenzuola in compagnia di solitudine e disperazione, adesso ho per sorelle la nostalgia e il rimpianto.

Ma ci sono, sono viva. Potrei cambiare ancora tutto della mia vita, giocare carte nuove. Conservo i nostri assegni da un milione di dollari, potrei metterli all'incasso. Dopotutto, la vita è in debito con me e io non mi accontento di un premio di consolazione. Sono una newyorkese e pretendo il meglio. Marco direbbe che il mio meglio deve ancora venire, che devo avere fiducia nel cambiamento e mettermi in pace con quella parte della mia vita che ho vissuto con lui. Il mio bellissimo passato.

Potrei andarmene da qualche altra parte, per ricominciare. Questo potrebbe essere il mio ultimo anno a New York.

Troppi pensieri, anche stasera stento a prendere sonno. Rivedo la biondina e suo figlio che qualche ora fa ammiravano il tramonto perfetto offerto da Manhattan.

Rintronata dalla stanchezza imbocco la via del sopore con in testa un vago pensiero, scivolo in un sogno. In un giorno perfetto passeggio sulla Quarantaduesima: il cielo è azzurro e arancione, l'aria immobile eppure pulita, non ci sono macchine, solo persone, tanti bambini e tutti sorridono. Ho la testa leggera, sento che la vita non è più una prigione di ricordi. Indosso la pelle di un serpente e sono a Bryant Park. Mi muovo disinvolta in mezzo alla gente, passo da un gruppo all'altro, chiacchiero. La pelle comincia a squamarsi, si sgretola e poi si sfarina, ma non me ne accorgo.

C'è anche Marco seduto sulla nostra panchina. A un tratto mi saluta con un cenno, sorride e mi lascia sola.

Proprio lì.

Marco con gli amici storici di Fano (2006).
Nella pagina precedente, Marco da piccolo sul camion di papà
(1983) e Anna nel 1984 mentre posa per una pubblicità TuttiFrutti.

Marco e Anna a Camponogara per la prima volta insieme (2007).

L'estasi di Anna al Grand Canyon (2009). Foto di Tommaso Zauli.

Il matrimonio (2010).
La foto a destra è di Marian Vanzetto.

Mani in alto: il matrimonio (2010). Foto Amaneraphoto.

L'ultimo giorno di luna di miele (Viareggio, 2010).
Foto di Marian Vanzetto.

L'ultimo desiderio, la sera prima della scomparsa di Marco, festeggiando il trentesimo compleanno di Anna (2013).
A sinistra, il primo anniversario a Bryant Park (2011). Foto di Aida Krgin.

Anna a Central Park (2017).
Foto di Margherita Mirabella.

Anna esce dalla metro (2017).
Foto di Margherita Mirabella.

Anna a Bushwick (2017).
Foto di Margherita Mirabella.

Anna e la sua New York: should I stay or should I go? (2017). Foto di Margherita Mirabella.

Ringraziamenti

Grazie, mamma e papà, per avere assecondato i miei desideri e avermi permesso di viaggiare e di scoprire il mondo fin da piccola.

Grazie, CP – Carmine Pappagallo –, per avermi dato una chance e avere cambiato la mia vita.

Grazie, Ilaria, per tutte le ore che mi hai dedicato via Skype e per avere sempre le parole giuste, al momento giusto.

Grazie, Virginia, per essere arrivata nella mia vita come un uragano e avermi letteralmente salvata da me stessa.

Grazie, Susanna, per avere raccontato con estrema grazia questa storia.

Grazie, Marco! Senza di te non sarei mai diventata la donna che sono oggi.

Annalisa M.

Un grazie particolare alla mia editor, Nicoletta Molinari, prima di tutto amica di infinita pazienza.

Susanna D.C.

LE AUTRICI

Annalisa Menin, narratrice e blogger, vive e lavora a New York. Nata a Dolo, vicino a Venezia, viaggiatrice giramondo curiosa della vita, nel 2006 a poco più di vent'anni sbarca nella Grande Mela e, novella migrante 2.0, inizia a lavorare per Valentino, la grande firma della moda italiana. Qui incontra Marco, l'uomo che sposerà e a cui è dedicato questo libro. New York diventa la loro città. Nel 2013 il marito muore, a soli trentatré anni. In sua memoria oggi Annalisa gestisce l'iniziativa Remembering Marco, che finanzia borse di studio a sostegno degli studenti meritevoli dell'Università Politecnica delle Marche, cui offre l'opportunità di uno stage presso Valentino USA. Una parte del ricavato dalle vendite del libro andrà a sostegno di questo progetto.

Blog: www.ilmioultimoannoanewyork.com
Sito: www.annalisamenin.com
Contatto: ilmioultimoannoanewyork@gmail.com

Susanna De Ciechi, scrittrice e ghost writer, vive e lavora tra Milano e la Valle d'Intelvi, sopra Como. Come scrittrice fantasma ha all'attivo romanzi, autobiografie e memoir. Oltre a *Il mio ultimo anno a New York*, ha pubblicato *La bambina con il fucile* (@uxiliaBooks, 2016), ispirato a una storia vera, e *Il Paese dei tarocchi*, un romanzo collettivo scritto con il gruppo Gli Spiumati. Nel 2015 ha pubblicato *La regola dell'eccesso* e *Tessa e basta* e in precedenza ha collaborato ad alcune raccolte di racconti, *Metropolis*, AA.VV. e *Quello che sapevamo di Eliana*, AA.VV.

Sito e blog: www.iltuoghostwriter.it
Contatto: susanna.deciechi@gmail.com

NOTE

[1] Voghera è il paese natale dello stilista Valentino Garavani.
[2] Il riferimento è a Laura e George Bush, allora presidente degli Stati Uniti.
[3] *Seven Nation Army*, The White Stripes.
[4] *Angeli con la pistola* (*A Pocketful of Miracles*), 1961, regia di Frank Capra.

59434032R10184

Made in the USA
Middletown, DE
23 December 2017